LES DERNIERS ROIS MAGES

DU MÊME AUTEUR

Le profil d'une œuvre, Cahier d'un retour au pays natal, Hatier, 1978.
Une saison à Rihata, roman, Robert Laffont, 1981.
Ségou, * Les murailles de terre, roman, Robert Laffont, 1984.
    ** La terre en miettes, roman, Robert Laffont, 1985.
Pays-Mêlé, nouvelles, Hatier, 1985.
Moi, Tituba, sorcière... Noire de Salem, roman, col. Histoire romanesque, Mercure de France, 1986.
La vie scélérate, roman, col. Chemins d'identité, Seghers, 1987.
Pension Les Alizés, pièce en cinq tableaux, Mercure de France, 1988.
En attendant le bonheur (Heremakhonon), roman, Seghers, 1988.
Traversée de la Mangrove, roman, Mercure de France, 1989.

Maryse Condé

Les derniers rois mages

ROMAN

Mercure de France
MCMXCIII

Cet ouvrage est de pure fiction.
Le roi dont il est question
n'eut de descendance
ni à la Guadeloupe ni à la Martinique.

Illustrations intérieures : Guy Duverger

ISBN 2-7152-1758-7
© **Mercure de France, 1992.**
26, rue de Condé 75006 Paris.
Imprimé en France.

« Don't know why
there's no sun up in the sky
Stormy weather
since my man and I ain't together
it's raining all the time. »

LENA HORNE

A Arthé, Debbie, Janis,
Nebbie, Rita, Rosalind, Vèvè, Sue
et les autres...

GLOSSAIRE DES PRINCIPAUX MOTS

BLAF	plat de poisson
BODZÈ	se dit d'un individu qui prend grand soin de sa personne
BO KAYE	du terroir
BOKONO	devin royal
CHIKTAYE	plat de morue; ici miettes
DAADAA	pères, ancêtres
DASHEEN	racine comestible
GADÈ DZAFÈ	devin et guérisseur à la fois
GRANGREK	savant
KALADJAS, LÉWOS, TROUMBLACKS	rythmes traditionnels de danse
KIMBWA	sorcellerie
KPANLINGAN	héraut chargé des récitations royales (généalogies)
KRAZUR	petit morceau
LAKOU	type d'habitation
MABS	billes
MALFINI	aigle
MANJÉ-LOAS	sacrifice
PWA ZYÉ NWÉ	variété de haricots
SHA'HADA	prière musulmane
SUK À KOKO	friandise
TITIRI	alevin

I

Les crabes sortirent de tous les trous du sable gris volcanique, tapissé de feuilles mortes, et se groupèrent en colonnes serrées. Cognant l'une contre l'autre leurs coquilles violacées, levant en l'air leurs mordants grands ouverts puissants comme des tenailles à clous, marchant déhanché et crochu, ils atteignirent le corps de Spéro. Sans ralentir, ils remontèrent le long de ses cuisses, mais firent l'entour du morne massif de son sexe avant d'emmêler leurs pattes dans les poils de son pubis et de grimper en quatrième vitesse la calebasse de son ventre. Sous leurs griffes, le sang gouttait rouge. Comme ils atteignaient sa gorge, Spéro se réveilla dans le jour déjà clair. Depuis deux ans, il faisait le même rêve, trois et quatre fois par semaine. Il ne savait pas ce qui le provoquait. Quelle peine cachée au fond de son cœur. Il ouvrit les yeux sur le portrait de son arrière-grand-père qu'il avait peint lui-même à 14 ans à partir de la photographie qui depuis trois générations s'étalait sur la cloison de la salle à manger de la maison familiale. Le vieillard avait emmené avec lui dans l'exil cinq de ses femmes, les épouses de Panthère, sa fille la princesse Kpotasse, son fils Ouanilo et son *honton*, son alter ego, le prince

Adandejan. D'épaisses lunettes noires cachaient ses yeux. Ses joues étaient mangées par une barbe rêche, encore noire. Aussi, on ne voyait guère de sa figure qu'un gros nez en triangle et un grand front fuyant sous la coiffure en forme de mitre décorée des perles traditionnelles. Djéré, le grand-père de Spéro, se trouvait à l'extrême gauche dans les bras de la plus âgée des reines, béat, bâtard apparemment bien-aimé que pourtant la famille avait laissé derrière elle avec quelques objets aussitôt devenus reliques, quand elle était repartie pour l'Afrique. Cet abandon avait bouleversé toute l'existence de Djéré et de ses descendants.

Spéro se réveilla tout à fait. Le vent secouait la charpente pourtant robuste de la maison qui craquait de tous les côtés. Septembre était depuis longtemps fini. Pourtant on avait encore peur et les gens se demandaient si un deuxième Hugo n'allait pas venir semer la mort et la désolation comme il l'avait fait l'an passé. En bas, dans la cuisine, Debbie remuait des ustensiles. L'odeur du café montait les marches de l'escalier et se mêlait à celle, puissante et nauséabonde, des marais. Toute la région aux alentours était marécageuse, l'eau mêlée de vase formant des flaques noirâtres qui baignaient les pieds des hauts arbres. A cause de cet air insalubre, il y avait peu d'habitations dans l'île, la plus proche maison se trouvant à une dizaine de kilomètres. Aussi, les jours se coulaient-ils sans bruit. Seules, dès la tombée du jour, des bandes d'oiseaux de mer perchaient dans le feuillage et remplissaient l'air de leurs cris. Quand ils devenaient par trop assourdissants, selon une tradition éprouvée depuis le temps d'Eulaliah qui avait été la première à habiter cette maison et à y mettre au monde des enfants, Debbie sortait dans la noirceur et déposait, sous les pins et les cyprès festonnés de mousse, des bols de lait et des tranches de fruits frais. Les esprits des anciens étaient dans la peine. Spéro avait eu du mal à s'habituer à ce décor et, parfois encore, il avait le frisson en regardant au-dehors. Il s'assit sur le bord du lit, puis se mit debout sans trop de peine, sans ressentir cette douleur qui montant depuis le genou le labourait jusqu'à l'aine, et descendit jusqu'à la cuisine. La télévision était déjà allumée et un prêcheur aux joues rouges et au costume sombre, les cheveux blonds d'enfant sage soigneusement séparés par une raie sur le côté, promettait l'enfer aux mécréants et aux tièdes. C'est ainsi qu'il sut qu'on était dimanche. Il posa un baiser d'habitude sur la joue de Debbie et s'assit de l'autre côté de la table. Elle le regardait curieusement. Puis au bout d'un moment, elle fit, la bouche pleine de *grits* :

— Est-ce que tu ne te rappelles pas que c'est aujourd'hui le 10 décembre?

Il fut retourné. Il en était venu à l'oublier, cette date dont la commémoration avait martelé son enfance. Le 10 décembre 1906 Djéré, son grand-père, avait institué des règles auxquelles Justin, son père, ne se dérobait pas. Lui qui ne prêtait attention à rien de rien, sauf aux pleins et aux déliés du corps des femmes, ne manquait jamais de faire célébrer une messe de requiem à la mémoire de celui qui avait pourtant si mal traité sa descendance antillaise et rappelait à ses garçons que sans la scélératesse des Français, ils seraient riches et puissants en Afrique. Ces jours-là, la maison était noire comme un catafalque. On n'ouvrait pas les fenêtres. On n'allumait pas la radio. Des voiles violets couvraient les miroirs tandis que l'encens brûlait devant la photographie dont le cadre avait été astiqué le jour précédent avec un mélange de citron et de cendres. Marisia, la femme mariée de Justin, égorgeait de la volaille qu'elle faisait cuire sans sel et que l'on mangeait avec du gombo, des feuilles de siguine, du crabe et de la pâte d'igname pilée selon une recette d'Hosannah, la mère de Djéré. Marisia obéissait, mais elle enrageait dans son cœur. Elle n'aimait pas entendre ces bêtises d'ancêtre royal parce qu'elles ne faisaient que donner des excuses à la fainéantise de Justin comme à celle de son père avant lui. Ni Djéré ni Justin n'avaient jamais rien fait de leurs deux mains. Ce n'était sûrement pas leur avoir qui attirait les femmes, mais quelque chose dans leur mine qui faisait qu'on ne pouvait pas s'empêcher de les remarquer. Marisia avait jeté dans une malle de fer sous le lit la pipe, le protège-nez en métal, la paire de sandales, la tabatière, le parasol à franges, le crachoir et la résille de perles décolorées qui avaient appartenu à l'ancêtre. Pourtant, elle n'avait pas pu décrocher la photographie prise un matin de 1896 à Bellevue en Martinique – Djéré avait alors tout juste un an –, qui trônait au-dessus du bahut Henri II, ruelle 4, morne Verdol, à La Pointe en Guadeloupe. C'était la première chose qu'Hosannah avait accrochée au mur depuis qu'ayant trouvé un Guadeloupéen méritant pour l'aider à élever son bâtard, elle était sortie de la Martinique pour le suivre chez lui.

Les garçons quant à eux ne regardaient jamais cette photographie et n'avaient aucune considération pour ce que racontait leur père à qui voulait bien l'écouter. De la bouche de Justin sortaient toutes sortes de paroles sans sens ni signification qui volaient comme des fleurs de fromager et qui se posaient en désordre un peu partout. Des trois garçons le seul qui prêtait un peu d'attention à ce que disait Justin était Spéro, sans doute parce que son père le gâtait tellement, l'appelant *ti-mal* et allant jusqu'à ôter le manger de sa bouche pour le lui donner. Leur entente avait pris corps le mardi où au lycée le professeur d'histoire, dans un cours sur la conquête coloniale, avait prononcé le même nom et raconté la même histoire avec laquelle Justin remplissait la tête des gens depuis des années. Ce jour-là, Spéro avait couru ventre à terre depuis le lycée jusqu'à la maison où Marisia, la bouche pleine d'épingles et les mains blanchies de craie, faisait essayer une robe de mariée à une cliente. Il avait ralenti devant la photo. Puis, comme un bolide, il était entré dans la chambre où, carré de toute sa largeur dans le lit de courbaril, Justin soignait un petit refroidissement à coups de rhum et de citron. Il avait bégayé :

— Papa, papa, le maître a parlé de ton grand-père!

Justin avait trouvé la force de se lever.

— Qu'est-ce qu'il a dit?

Spéro l'avait entraîné devant le tableau de la salle à manger et, baissant la tête, avait débité :

— Il a dit que les Français ont pris son royaume et l'ont donné à son frère. Lui qui ne devait jamais regarder la mer de ses deux yeux, ils l'ont forcé à l'enjamber. En février 1894, ils l'ont exilé à la Martinique où il est resté six ans. Ensuite il a eu permission de partir. Il est revenu en Afrique et il est mort à Alger, comme tu l'as dit, un 10 décembre.

Depuis ce moment-là, le père et le fils avaient passé leurs soirées en chuchotements, front contre front, ce qui exaspérait Marisia. Spéro, mauvais exemple pour ses deux frères, était déjà assez bon à rien comme cela, ne s'intéressant qu'au dessin et à la peinture, sans lui mettre encore toutes sortes d'idées creuses dans la tête. Roi africain ou pas, le papa de Djéré s'était comporté comme tous les autres nègres de la terre. Il ne s'était pas occupé de son enfant. Il l'avait laissé derrière lui à la charge de sa seule pauvre maman. Il n'avait jamais répondu aux cartes qu'il recevait de lui à chaque nouvel an, ni aux lettres d'Hosannah qui, poussée par Romulus, son concubin, lui réclamait de l'argent pour faire face aux dépenses de l'existence.

A vrai dire, le petit ne manquait de rien. Ni de sandalettes. Ni de shorts. Ni de chemisettes. Il allait toujours le ventre plein. Mais élevé au morne Verdol parmi les enfants des malheureux, était-ce bien la vie qui convenait à son sang?

Les hommes ne sont pas faits de la même façon que les femmes. Dans la calebasse sans fond de leur tête, ils font pousser des ambitions, des billevesées qui leur rendent la vie plus difficile à supporter encore.

Au lieu d'oublier tout ce passé et de regarder le présent dans les yeux tout simplement, Djéré avant Justin et tout comme lui s'était accroché à des lambeaux du temps d'hier. Dès qu'il avait été en âge de comprendre quelque chose à ce qu'il lisait, il avait fait main basse sur tout ce qui concernait l'histoire de l'Afrique et surtout du Dahomey, que l'on appelle aujourd'hui Bénin. Il ne se contentait pas des livres mangés par les *sizo* et endormis sur les rayons de la bibliothèque Lambrianne. Non! il découpait des bons dans des catalogues et faisait des commandes en France. Tout cela avec l'argent de sa mère et du brave Romulus, infirmier de son état qui, quatre fois par jour, pour l'élever, descendait et remontait le morne Verdol avant de descendre et de remonter le morne Vert à la tête duquel était juché l'hôpital.

Ainsi, il se constitua une magnifique collection de livres reliés pleine peau et de journaux illustrés. Malheureusement le cyclone de 1928 vint tout charroyer, tout éparpiller sur les suretiers du morne et à sa mort, à la veille de la Seconde Guerre mondiale, Djéré n'avait laissé derrière lui qu'une série de cahiers numérotés de 1 à 10 qu'on retrouva au fond d'une armoire. Les « Cahiers » de Djéré. Là-dessus, il avait essayé de raconter qui était son père et aussi qui était sa mère.

Chaque jour que le bon Dieu fait, serrant la main de son fils, le vieillard coupait par l'à-pic que depuis les gens de Martinique appellent le « chemin du Roi ». Il rejoignait la route de Schœlcher et l'arpentait sous un parasol que l'une ou l'autre des reines tenait grand ouvert au-dessus de sa tête. Les habitants du quartier Bellevue sortaient sur le pas de leur porte et, insensibles à sa haute mine, se tordaient de rire et faisaient leurs jeux en le regardant passer.

Un roi africain? Et puis quoi encore? Est-ce qu'il y a des rois en Afrique? Ces gens-là se font bouillir les uns les autres dans des chaudrons.

C'est un 10 décembre, exactement le 10 décembre 1954, en revenant à la maison après la messe de requiem à l'église Saint-Jules que Spéro avait offert à Justin le tableau qu'il avait peint en se cachant de tous à partir de la vieille photographie de la salle à manger. Il avait mis un soin tout particulier à peindre la figure de bébé joufflu de son grand-père Djéré. Cravate de deuil et brassard noir à la manche gauche, Justin avait pris le tableau entre ses mains. Puis l'eau salée de l'émotion et de la fierté avait coulé le long de ses joues pour atteindre son menton.

Jusque-là, s'il ne se mettait pas en colère comme Marisia en voyant Spéro fainéanter et barbouiller de grandes feuilles de papier Canson, au lieu d'étudier pour devenir instituteur, il n'avait jamais considéré sérieusement ce goût de peindre de son garçon. Mais ce tableau-là lui parut merveilleux. Sublime. Frédéric Devaux, le Français qui avait peint les fresques du marché et de la sous-préfecture, ne lui parut pas plus doué. Désormais il se mit à remplir des formulaires et des dossiers à l'intention de Spéro et, au bout d'un an, finit par lui obtenir une bourse pour une école d'arts plastiques de Lille.

C'est ainsi que Spéro passa cinq années dans cette ville facilement enneigée, froide, venteuse, où les gens ne sont pas causants. Une fois son installation terminée dans un foyer de jeunes, il fut plus fréquent à la bibliothèque qu'à ses cours de dessin. Enfermé du matin jusqu'au soir, il dévorait tous les documents possibles et imaginables écrits par des historiens sur le défunt royaume d'Abomey. C'est ainsi qu'il entra en correspondance avec M. Bodriol, ancien administrateur des Colonies, qui avait passé vingt ans à mettre bout à bout les chapitres d'une étude – que les critiques s'accordaient à trouver monumentale – sur les rois-dieux du Bénin, et qui vint le visiter à Paris. Pour des raisons qu'il garda secrètes, cette visite ne fut pas un succès. Néanmoins, dès lors, comme un *kpanlingan,* il sut par cœur la généalogie des rois depuis Huegbaja jusqu'à ce jour de deuil de 1894 où l'œuf du monde s'était brisé en mille morceaux. Il se plaisait à croire qu'il ressemblait à son ancêtre, que même les historiens les plus coloniaux peignaient comme un homme plein de feu et de charme. Une chose le chagrinait : sa couleur. Justin avait apparemment cédé au goût bien guadeloupéen pour les femmes claires et épousé Marisia, née des œuvres d'un béké, ce qui fait qu'il était sorti carrément rouge de peau comme de poil. Cela l'inquiétait. Est-ce que ce signe-là ne pouvait pas être considéré comme une de ces difformités dont la dynastie avait horreur? Est-ce qu'Agonglo n'avait pas renié son premier-né parce que trois orteils manquaient à son pied gauche? Est-ce qu'Adandejan n'avait pas banni le sien au-delà de la ligne du Zou parce qu'un espace, large à y loger le bout de la langue, séparait ses quatre incisives supérieures l'une de l'autre?

Pendant ces quatre années de vie et d'étude à Lille, Spéro n'avait confié son secret à personne; même pas aux rares femmes qu'il s'enhardissait à séduire et auxquelles il arrivait à faire l'amour, quelques lingères et femmes de chambre du foyer, paysannes du Nord, compatissantes à l'immigré.

En fait, soit qu'il craignît les railleries, soit que tout simplement il n'aimât pas à parler de lui-même, il n'avait jamais confié le secret de son sang. Qu'à Debbie.

Debbie!

Il la regarda, de l'autre côté de la table, les yeux pleins de malice, les cheveux grisonnants taillés en proue de navire au-dessus de son front qui restait sans rides, le corps tassé par la proche cinquantaine dans sa robe d'intérieur, et son cœur était amer. Chagriné, il la revit telle qu'elle était quelque vingt-cinq ans plus tôt, quand elle était rentrée dans le chemin de sa vie.

De retour au pays depuis deux ans, il chômait. Volontairement. Par sa faute. Il avait refusé un poste de professeur au collège d'enseignement professionnel de Saint-Claude parce qu'il ne voulait pas franchir le pont de la Gabarre et s'éloigner de Justin qui, malgré sa mauvaise tête et ce que Marisia appelait sa fainéantise, l'avait toujours préféré à ses deux autres garçons; à celui du Moule parce qu'il y faisait trop chaud et que la réverbération du soleil sur la mer blessait ses yeux, qu'il avait fragiles comme ceux de l'ancêtre, toujours soigneusement abrités derrière des lunettes noires. Il avait pris l'habitude d'aller offrir ses aquarelles – genre qu'il préférait à tous les autres et qu'il avait travaillé avec Jean Lapouille, le peintre lillois bien connu – aux passagers des bateaux de croisière qui deux fois le mois jetaient l'ancre dans le port. Il ne suffisait que de disposer ses tableaux sous les amandiers pays et d'attendre. Les Américains à tête argentée arrêtaient leur marche claudicante, poussaient des cris d'admiration et pour finir tiraient leurs dollars de leurs portefeuilles profonds comme des valises. Spéro baragouinait un peu d'anglais. *You like it? Not expensive, you know! You give how much?* Et, à la fin de l'après-midi, sous le regard méprisant de Marisia – elle n'avait jamais porté son aîné dans son cœur car il était trop pareil à son père –, il vidait ses poches aussi pleines que celles de son cadet Maxo à la fin du mois, lui qui s'échinait à gratter du papier dans une compagnie d'assurances du Mans. Un jour du bon Dieu, une jeune fille noire s'était arrêtée devant lui. Haute. Très haute même. Et de ce fait, la tête planant dans l'air, avec sa grande bouche et ses yeux noirs d'une tristesse qui était celle-là même qu'il ressentait au fond de son cœur quand le soleil avait fini sa journée et que la terre était livrée à la terreur des rêves. Subitement il avait eu honte d'être là à tendre la main aux blancs (car faisait-il autre chose? interrogeait Marisia) et il s'était relevé d'un seul bond. Mais elle était séduite comme les autres et demandait en assez bon français :

– C'est combien?

A l'école des arts plastiques, Spéro faisait partie des derniers de la classe. Les professeurs n'avaient jamais prêté beaucoup d'attention à ce Guadeloupéen qui avalait ses *r* et manquait souvent les cours.

Cela ne le chagrinait pas. Il n'avait aucune ambition. S'il faisait de la peinture, c'était parce qu'il haïssait tout le reste et ne voulait pas devenir instituteur pour soulager ses parents de la misère. Quand il se plantait devant son chevalet, des ailes lui poussaient aux épaules. Il ne pensait à rien. A rien de ce qui fait qu'on a tant de mal à passer le temps qu'on doit passer sur cette terre.

L'admiration de Debbie lui fit l'effet d'un sec sur un estomac vide. Il trouva quelque part en lui le courage de l'inviter à boire un verre de jus de canne à la Palmeraie et fut estomaqué quand elle accepta. Ils quittèrent donc la ceinture des quais, descendirent la grand-rue, droite entre ses façades coloniales aux balcons protégés par des auvents de bois, et plongèrent dans le désordre de la rue de Nozières. Elle en avait des choses à raconter, Debbie, il s'en aperçut très vite. Les mots sortaient d'elle en torrent. Cette croisière dans les Caraïbes, un cadeau de sa mère qui voulait la récompenser de ses succès universitaires, organisée par le Black Caucus, une association d'enseignants noirs de la Caroline du Sud, n'était pas une réussite. Loin de là. Chaque jour, on visitait des îles, l'une pareille à l'autre avec son cache-misère de cocotiers et de plages paradisiaques. A bord, tout le monde semblait oublier les spasmes qui secouaient l'Amérique en ces années-là. Ce n'étaient que distractions, jeux et rires bons pour des enfants. Trois ans plus tôt, elle avait perdu son père dans un combat politique et son cœur ne s'en consolait pas. Pour oublier, elle s'était plongée dans ses études et à 22 ans se trouvait diplômée en histoire. Elle déplorait seulement que les études l'aient détournée de problèmes autrement brûlants. C'est ainsi qu'elle n'avait pris part à aucune grande manifestation. Comme acte militant, elle ne pouvait guère se vanter que d'un sit-in dans le restaurant de Woolworth.

Spéro ne connaissait rien de rien aux jeunes filles. Après le verre de jus de canne, il fit l'offre timide d'un repas dans un restaurant du Bas-du-Fort qui fut acceptée elle aussi. Ils grimpèrent cette fois dans une auto-char stationnée place du Marché, et jamais la ville qu'ils traversèrent en diagonale n'avait paru à Spéro plus encombrée, plus petite, plus pauvre en monuments architecturaux, moins digne de retenir l'attention d'une si belle étrangère. Au Carénage, le ciel noircit, un violent grain s'amena. En un rien de temps, les rues gonflèrent comme des rivières et les femmes, relevant leurs jupons, coururent prendre abri sous les balcons des maisons hautes. Debbie ne voyait rien. Elle parlait comme quelqu'un qui n'avait pas trouvé une oreille pour l'écouter depuis des années! Sa famille, les Middleton, venait de la Barbade – ce qui expliquait en partie la bonne intention de sa mère. Toutefois cela se perdait dans la nuit du *tan lontan* et elle était considérée à présent comme une des plus anciennes de Charleston. Elle habitait une maison centenaire à Crocker Island, une île marécageuse et à moitié déserte qu'un ferry poussif rattachait à la terre. Il y pleuvait continuellement et, à certains jours, l'œil ne distinguait pas l'eau du ciel de celle de la mer.

Quand 3 heures de l'après-midi sonnèrent à la petite église toute proche, elle envisagea de retourner sur les quais et, avec l'énergie du désespoir, Spéro parvint à l'inviter à regarder ses peintures.

L'auto-char s'arrêta au pied du morne Verdol, qu'il fallut gravir tête baissée sous le chaud soleil. Brusquement, Spéro eut honte. Si à la tête du morne flottait une belle chevelure de tamariniers des Indes et d'ylangs-ylangs, arbres à parfum, jusqu'à mi-hauteur c'était un entassement peu esthétique de cases en tôle reliées à la rue par deux ou trois planches jetées sur un dalot plein d'eau noirâtre. Cela puait l'immondice et l'excrément. Dieu soit loué, Debbie parlait toujours et n'accordait pas plus d'attention à ce décor qu'au bleu de la mer du Bas-du-Fort, aux madras des femmes qui sortaient méfiantes sur le pas de leur porte pour regarder cette figure inconnue. Elle ne se tut que pour examiner avec autorité les tableaux empilés un peu partout dans la maison, s'attardant sur les quelques rares compositions à l'huile et prononçant des noms que Spéro n'avait jamais entendus, mais que soudain il ne doutait pas d'égaler, voire de surpasser. Beauford Delaney. Jacob Lawrence. Romare Bearden. Quand elle songea de nouveau à regagner les quais, il ne sut ce qui lui prit. Il se mit à lui confier de quel sang sa famille sortait malgré de si fâcheuses apparences. C'est qu'il lui fallait cette femme-là dans sa vie. A la fin de la journée, assis côte à côte sur une malle d'osier, ils regardèrent le *S.S.*

Mariposa quitter majestueusement la rade de La Pointe. Un amas confus de nuages blancs et roses masquait le naufrage du soleil, et Spéro savourait la première et très extraordinaire victoire de son existence jusque-là tellement aride.

C'est Marisia qui fut heureuse de voir cette intruse débarquer dans sa maison!

Jusqu'alors, ses trois fils ne lui avaient pas causé de soucis et les voisins du morne Verdol n'avaient pas eu besoin de mettre en cage leurs poulettes. Soudain, l'un d'entre eux lui amenait une femme. Et quelle femme! Une femme qui ne parlait pas le créole. Une femme frileuse qui réclamait de l'eau chaude pour ses deux bains de la journée. Une femme qui inspectait avec suspicion tout ce qu'on lui donnait à boire et à manger. Ce qui l'enrageait encore, c'est qu'en plus de Spéro, Maxo et Lionel étaient tombés victimes du charme américain. Les week-ends, Maxo, grand sportif, grimpait avec Debbie jusqu'à la tête de la Soufrière pour comparer les couleurs contrastées des pitons volcaniques. Certains samedis, il l'entraînait même par la trace Victor-Hugues afin de contempler les formes massives du Carmichael et de la Grande-Découverte. Plus bucolique, Lionel se contentait de lui faire admirer les *bauhinia variegata* du Jardin d'Essais de Tambour. Tous les après-midi, elle trônait dans la salle à manger aux côtés de Spéro, gênant les clientes et leurs essayages, déchiffrant à l'aide d'un dictionnaire les Cahiers de Djéré.

Dans son exil martiniquais, ce qui assombrissait le plus l'esprit de l'ancêtre, ce n'était pas l'extrême solitude de son existence. Ce n'était pas non plus sa déchéance prononcée par des blancs auxquels il n'accordait aucun crédit. Ni celle de son frère, dont il avait eu connaissance par des coupures de journaux que lui avait lues Ouanilo. C'était la pensée que, occupé à guerroyer pour défendre un trône qu'en fin de compte il avait perdu, il n'avait pu célébrer que les premières funérailles de son père. Seulement quarante et un jeunes gens et quarante et une jeunes filles avaient pu être sacrifiés. Est-ce que le *daadaa* ne lui en tiendrait pas rigueur ? Comment est-ce qu'il l'accueillerait quand, à son tour, il entrerait dans Kutome, la Cité des morts ? Du coup, il faisait cauchemars sur cauchemars. Ses femmes, aux-quelles il ne touchait plus, l'entendaient pleurer comme un tout petit enfant au beau milieu des nuits.

Debbie trouvait encore le temps de donner des leçons de politique aux garçons. Comment cela ? Ils ne connaissaient rien des problèmes de l'Amé-rique ? Ils n'avaient jamais entendu nommer les noms de W.E. Du Bois ? De Malcolm X ? De Mar-tin Luther King Jr ? Ils n'avaient jamais entendu parler de la théorie de la non-violence ?

Tout honteux, Spéro bafouillait d'un ton peu convaincant. Maxo et Lionel, eux, ne se trou-vaient pas d'excuses.

Justin lui aussi voyait d'un très mauvais œil les amours de Spéro et de son Américaine. Jusque-là, son garçon n'avait appartenu qu'à lui. A lui et à l'ancêtre. Qu'est-ce qu'une femme venait chercher entre eux ? Il l'avait déjà trouvé changé, et pour le pire, à son retour de Lille. Ainsi, le premier 10 décembre qu'il avait passé sur le

morne Verdol, il s'était fait prier pour assister à
la messe de requiem et, aussitôt avalée la pâte
d'igname, il s'était lavé la bouche avec un verre
de rhum comme si sa fadeur l'écœurait. A présent, plus de temps pour causer avec son papa,
ni pour lui lire des pages des Cahiers de Djéré.
Dès la fin du bulletin d'informations à la radio,
il s'enfermait dans sa chambre avec Debbie. Sans
même avoir à coller l'oreille au bois de la porte,
on les entendait rire et pousser des cris indécents.
Quand donc Debbie prendrait-elle le chemin du
retour chez elle ?

Un soir de septembre, et l'hivernage avait été
très pluvieux, gorgeant les dalots de flots d'eau
et pétrissant la gadoue, Spéro et Debbie tirèrent
d'un seau rempli de glace une bouteille de moët-
et-chandon qu'ils avaient mise à rafraîchir. Les
yeux dans les yeux, ils annoncèrent à la famille
confondue leur intention de se marier et de partir
pour Charleston.

— Comme ça, tu avais vraiment oublié que c'est
aujourd'hui le 10 décembre ?

Debbie était incrédule, soupçonnant une ruse
qu'elle ne comprenait pas. Il fit oui de la tête.

En fait, est-ce qu'il n'avait pas commencé d'oublier cette date vingt-cinq ans plus tôt, dès qu'il
avait mis le pied à Charleston ? Quand il s'était
rendu compte qu'il n'était guère différent de ceux-

là qui autour de lui changeaient de prénoms, se drapaient dans des pagnes et portaient un triple rang de colliers de cauris? Leur fantasme était pareil à sa vérité. Peu à peu, il avait laissé l'ancêtre là où il se trouvait et seule Debbie était restée la princesse, avant de devenir la reine mère.

Dès que leur enfant en avait eu l'âge, chaque 10 décembre, elle l'avait obligée à joindre les deux mains devant une cloison contre laquelle elle avait suspendu le portrait sous verre de l'ancêtre. Sur une sorte d'autel, elle faisait brûler des cierges et plaçait un bouquet de fleurs fraîches. L'enfant s'accommodait très bien de cette atmosphère, de ces litanies que sa mère lui faisait réciter et s'enchantait de l'histoire qu'elle lui racontait.

Spéro se rappelait sa joie lors de la naissance de sa fille. Ni lui ni Debbie n'avaient désiré un enfant car, ils le sentaient bien, leur couple n'était pas fait pour durer la vie. Leur amour ressemblait à une tempête tropicale. Comme elle, il avait été soudain et violent avant de s'évaporer dans l'espace. Pourquoi Debbie avait-elle si aisément interrompu sa croisière? Pourquoi avait-elle si aisément accepté de l'épouser? Mystère et boule de gomme. Lui-même, pourquoi s'était-il exilé et l'avait-il suivie à Charleston? L'un et l'autre, y avaient-ils jamais cru, à ce glorieux avenir de peintre? Peut-être, simplement, l'avait-elle fait rêver; d'un ailleurs; d'une terre moins tracassière et mesquine que la sienne?

Quand il avait tenu sa fille serrée chaude contre sa poitrine, Spéro s'était bercé de l'illusion que sa vraie vie démarrait enfin! Dans sa poitrine, son

cœur avait fondu en espérance et en amour! Une
fille! Une fille!

Au morne Verdol, les gens disaient que la
famille n'avait pas de chance avec les filles. Et
c'est vrai que Cyprienne d'abord, puis Marisia
n'avaient mis au monde que des garçons! Lors de
sa troisième grossesse, d'après la forme de son
ventre, Marisia s'était convaincue qu'elle accou-
cherait de la fille tant souhaitée. Aussi, dans sa
déception, de trois jours, elle n'avait pas voulu
embrasser Lionel. Justin au contraire s'en accommodait très bien, de ses paternités, disant que la
descendance d'un pareil ancêtre ne pouvait être
que mâle.

Debbie de son côté désirait un fils et sans
consulter Spéro passait en revue des prénoms
hautement symboliques. Malcolm. Sékou. Jomo.
Kwame. Modibo. Patrice. Finalement à l'arrivée
de leur enfant, ils s'étaient trouvés tout bêtes et
Spéro lui avait donné en quatrième vitesse le prénom d'une chanteuse de blues qu'il aimait!

Une fille! Gage de fécondité et d'avenir! C'est
pour elle qu'il peindrait désormais et se ferait un
grand nom!

Bien vite cependant, il avait dû déchanter. Sous
prétexte que la petite était mal portante, Debbie
l'avait accaparée entièrement. Elle la mettait à
dormir dans son lit, ayant relégué Spéro dans une
des chambres d'amis du deuxième étage, mal
située au nord. De sa solitude sous ses draps, il
entendait les grands causers de la mère et de la
fille, et il se sentait une fois de plus étranger,
exilé!

C'est vrai que, petite, Anita était « chignarde

et pâlotte »! Personne n'aurait pu prévoir la belle jeunesse qu'elle allait devenir, une fois passé la puberté. Elle n'avait recouvré un peu de santé que l'année où Debbie l'avait emmenée à Balsa Muir, une petite ville de l'État où une dénommée Victoria, qui avait reçu le don, avait posé les mains sur elle et conseillé qu'elle porte du rouge chaque vendredi et du blanc les autres jours. Peut-être Spéro avait-il commencé d'oublier l'ancêtre le jour où sa fille était née : par sa naissance il avait rompu la tradition et cette transgression l'amarrait dans le présent, manifestant que hier était bien hier, que seul comptait l'aujourd'hui.

Il n'y pouvait rien, si Debbie remplissait la tête de l'enfant avec ces histoires anciennes et qu'il fallait oublier. Elle les embellissait à sa fantaisie. A l'entendre, le grand-père Djéré n'était plus un bâtard que l'ancêtre avait laissé avec sa servante de mère comme un ballot de linge sale dans une villa d'un faubourg de Fort-de-France, mais le fils d'une jeune demoiselle, fine fleur de la bourgeoisie martiniquaise qui n'avait pas eu le cœur de quitter son papa, sa maman et son île. Dans l'exil algérien qui avait suivi son exil martiniquais, l'ancêtre n'avait pas laissé passer un seul jour sans nommer les noms de Djéré et d'Hosannah. Après sa mort, la famille, quant à elle, n'avait pas cessé d'inviter la descendance antillaise à venir reprendre sa place au pays natal.

Comment Spéro aurait-il pu lutter contre des fantaisies pareillement peintes, alors que la couleur de la réalité restait tellement sombre? A Charleston, le sang des martyrs n'était pas un champ fertile. Les lieux d'enseignement et d'habitation restaient de fait ségrégués. Les écoles noires étaient une terrible affaire! Au collège où Debbie enseignait l'histoire, des vigiles, revolver à la ceinture, obligeaient les adolescents à vider leurs poches des couteaux à cran d'arrêt, canifs à six lames, rasoirs et autres armes blanches qui les bosselaient. En plein East Bay, un homme avait abattu deux noirs qui croyaient que le Sud n'est plus le Sud, et il courait encore. Aux services du dimanche, les fidèles se demandaient en se balançant et en claquant des mains quand enfin le fameux rêve tellement médiatisé deviendrait pour de bon réalité. Depuis le temps, ô Seigneur, on n'y croit plus. Celui-là n'était-il aussi qu'un faux prophète?

Debbie souhaitait qu'Anita connaisse l'Afrique. Aussi, année après année, elle noircissait à son intention les volumineux dossiers des « Operations Crossroads Africa » grâce auxquelles les enfants d'Amérique s'initient aux réalités du tiers-monde. Hélas, année après année, elles lui revenaient avec la mention : « Refusée pour raison de santé. » L'Afrique était donc restée un vide qu'Anita n'avait comblé qu'au moment où après quatre années d'études de « développement » à Liman College, elle s'était envolée pour le Bénin. Elle n'avait demandé la permission de personne et ce départ ressemblait bien à un adieu. De toute l'année, Spéro et Debbie n'avaient reçu d'elle que deux cartes postales, frappées l'une comme l'autre d'un drapeau dans le coin gauche. La première représentait des femmes en rang, coiffées de manière identique, vêtues de pagnes aux dessins et aux couleurs identiques. La seconde des enfants, en rang eux aussi, faisant une sorte de salut martial. Inquiet, Spéro avait cherché à se renseigner et avait cru comprendre que le militaire qui était depuis dix ans au pouvoir en avait été chassé par une révolution de palais. Apparemment, cela n'avait pas rassuré Debbie car, le cœur brisé, il continuait de l'entendre sangloter nuit après nuit. Avec cela, toutes ses lettres restaient sans réponse. Aussi, il avait eu fort à faire pour l'empêcher de se joindre à un voyage organisé dans les anciens forts du Ghana. Elmina. Dixcove. Cape Coast. Anomabu. Prampram. Une fois en terre d'Afrique, en effet, elle espérait bien brûler la politesse à ses compagnons et partir à la recherche de sa fille. Si leur enfant ne voulait pas les voir, ne fallait-il pas respecter sa décision, par amour pour elle?

Debbie se leva avec lourdeur pour brancher le grille-pain et demanda avec un peu de pitié :

— Qu'est-ce que tu vas encore faire aujourd'hui?

Il hésita. Son emploi du temps à elle était rigoureusement réglé. Église baptiste noire de Samarie jusqu'aux environs de 2 heures de l'après-midi. Car elle ne se contentait pas d'assister aux services, de chanter les psaumes plus fort que personne et à l'occasion, quand les infirmières étaient débordées, de frotter les mains ou d'éponger le front d'un fidèle saisi par l'Esprit. Dans une arrière-salle décorée en tout et pour tout d'un crucifix, elle faisait des lectures édifiantes ou assenait de vigoureuses homélies aux quelques adolescents butés et maussades que leurs parents étaient parvenus à traîner avec eux dans la maison du Seigneur.

Ensuite, elle se rendait chez Agnès Jackson, à un quart d'heure de marche.

Agnès Jackson était une nonagénaire qui vivait seule et sans enfants dans le regard de Dieu depuis quarante ans que son mari l'avait abandonnée, à Hollywood, pour un danseur de claquettes. Dans sa jeunesse, elle avait été une vraie beauté. Une photo accrochée en évidence dans son salon la représentait assise derrière un piano, ses longs cheveux brun clair retombant sur ses épaules. Elle avait très bien connu Langston Hughes, Paul Robeson, Richard Wright et entretenu une volumineuse correspondance avec Zora Neale Hurston. Debbie avait donc demandé une importante subvention à une fondation, qui l'avait accordée sans barguigner, et depuis près de quatre ans elle en recueillait les mémoires en vue d'une publication dans une collection d'« histoire orale ». Malheureusement tout se brouillait dans la tête de la vieille femme. Elle ne savait plus très bien avec qui elle n'avait pas fait l'amour, ni avec qui elle avait voyagé à travers le monde. Était-ce bien Diego Rivera qui était tombé amoureux d'elle au Mexique? Aussi le travail des deux femmes n'avançait-il pas, semblable à cette célèbre tapisserie défaite de nuit et recommencée de jour.

Après son tête-à-tête avec Agnès qui la menait jusqu'autour de 6 heures du soir, Debbie trouvait la force de courir à l'autre bout de Charleston au local de l'African Ballet Theatre dont le directeur, Jim Marshall, avait étudié la danse traditionnelle en pays ashanti. Debbie approuvait la chorégraphie et conseillait sur les costumes. Jusqu'à une date récente, ensuite, elle s'était courageusement rendue aux réunions du comité de soutien à Nelson Mandela, qui se prolongeaient jusqu'à l'heure du dernier ferry. Toutefois l'heureuse libération du héros les avaient rendues inutiles.

Spéro, quant à lui, passait tous ses dimanches seul à Crocker Island.

Des fois, il y trouvait mille raisons de s'occuper. C'est ainsi qu'après Hugo il avait refait tout seul sans aide le deuxième étage que le grand vent avait charroyé jusqu'au bord de la mer, accrochant au passage aux branches des arbres des couvertures, des vêtements, des livres en lambeaux, de vieilles photos de famille. Les lettres de Maxo et Lionel lui apprirent, à sa surprise, qu'Hugo avait aussi frappé la Guadeloupe et que le pays n'était plus qu'un grand champ de désolation. La plupart des maisons du morne Verdol s'étaient couchées ou avaient glissé le long de ses flancs et s'étaient retrouvées, entrailles en l'air, à ses pieds. La leur avait tenu bon et c'était le deuxième grand cyclone auquel elle résistait, puisqu'elle avait connu celui de 1928.

Plus souvent que rarement cependant, Spéro ne faisait pas grand-chose de ses dimanches. Il obéissait à Debbie et, même sous les lourdes pluies de l'hiver, partait pour de longues marches à pied. Un chemin creux, rempli de joggeurs venus de la terre ferme par ferries entiers, faisait le tour de l'île. L'été, quand les jours avaient belle couleur, il plantait son chevalet et peignait un paysage qui depuis tant et tant de temps ne lui était jamais devenu familier. La mer toujours lourde et visqueuse se retirant vers le fond de l'horizon; les gamins noirs pêcheurs de crabe tenant de longs filets et enfonçant la plante de leurs pieds dans la boue molle et noire comme un tapis de cendres volcaniques qui recouvrait le rivage; çà et là, les paquets d'algues, noires et emmêlées comme des chevelures de noyés. A certains moments, il ne bougeait pas de la maison. Il dormait et faisait toujours les mêmes rêves. Des crabes. Des méduses. Des créatures de la mer.

Parfois ses rêves le ramenaient au pays. Marisia vieillie, en cheveux blancs mais la figure enfin souriante, l'attendait à l'aéroport à côté de Justin, fier comme Artaban du succès de son fils. Dans la réalité, Marisia était morte l'année qui avait suivi son départ d'un cancer dont elle n'avait jamais parlé à personne. Justin vivait encore, mais sénile à 72 ans, se prenant pour l'ancêtre et racontant des histoires de veuves enterrées vives avec des provisions d'eau-de-vie, de tabac à fumer, des pipes et des chapeaux à point d'Espagne.

Debbie referma sur elle la porte de sa chambre où il n'entrait jamais et qui, avec ses photos de Paul Robeson en Othello, de Mahalia Jackson en bouclettes et robe de concert, de Martin Luther King Jr devant le Lincoln Monument à Washington, d'Andrew Young à la table des Nations unies, de Jessie Jackson, doigt levé sur fond d'arc-en-ciel et sa reproduction numérotée de la *Légende d'Amistad* de Romare Bearden ressemblait à un musée à la déesse « Black Americana ». Elle était très fière de sa bibliothèque qui ne contenait pas seulement les romans de Toni Morrison, Alice Walker et autres écrivaines nouveau-nées, mais des pièces maîtresses; telle une édition originale des écrits de Jupiter Hammon, le premier poète noir, esclave qui vécut à la fin du XVIIIᵉ siècle, de l'*Autobiographie* de Frederick Douglass et de *La Case de l'oncle Tom* d'Harriet Beecher-Stowe avec des illustrations de Jonathan Daimon. Quand elle ressortirait de sa chambre, elle serait transformée, ayant fabriqué grâce aux crèmes, aux fards et aux parfums de sa salle de bains cette mine solennelle, hautaine, un peu intimidante, au sourire tout de même bienveillant qu'elle offrait aux regards des autres. Lui, Spéro, se préparait à passer toute la journée dans le survêtement bleu sombre qu'il avait enfilé sur son pyjama pas très net, et elle lui faisait observer avec raison qu'il se laissait aller. C'est vrai qu'il avait été dans le temps un fameux *bodzè*. Justin lui avait légué le goût du linge blanc raide empesé, des chemises à plastron plissé, des pantalons au pli droit comme un fil à plomb tombant sur des chaussures impeccablement cirées. Des fois, il osait même un chapeau de feutre qu'il portait de biais, penché sur l'oreille gauche. A présent, il enfilait sans même prendre la peine de se regarder dans la glace un blue-jeans, un pull-over, un blouson; il chaussait ses pieds de « Nike » et le tour était joué!

Depuis que leur Anita les avait quittés, Debbie

et Spéro n'avaient plus rien pour souder les morceaux de leur vie. Quand ils étaient ensemble, ils ne se disaient pas grand-chose. Ils ne partageaient plus guère les repas, Debbie s'asseyant pour manger un livre à la main. Depuis deux ans, ils ne faisaient plus l'amour, Debbie ayant pris prétexte de sa liaison avec Tamara Barnes pour lui barrer son lit.

Quand est-ce qu'il avait commencé, lui si timide et peu assuré, de regarder d'autres femmes que la sienne? Quand est-ce que Debbie n'avait plus trouvé une seule parole à lui dire, les heures de leurs jours se succédant dans le silence? Quand est-ce qu'ils s'étaient mis à vivre l'un à côté de l'autre sans rien communiquer ni échanger? On sait diagnostiquer les premiers symptômes d'une maladie; mais pas le début de la fin de l'amour. Quand il venait d'arriver à Charleston, Debbie et lui étaient tellement inséparables qu'on les avait surnommés « l'Un et l'Autre ». Il s'était fait violence et l'avait accompagnée dans une ronde de visites à son cercle d'amis, comme s'il ne sentait pas que ces gens-là n'avaient aucune confiance dans un nègre qui parlait l'anglais avec l'accent français et derrière leur dos faisaient des gorges chaudes des histoires d'ancêtre royal que Debbie racontait. Il l'avait accompagnée dans ses conférences sur le campus des universités noires des environs — une fois même en Caroline du Nord. Car elle était considérée comme une des meilleures spécialistes de la Reconstruction du Sud. Il est vrai qu'elle avait bénéficié d'une documentation exceptionnelle, Moses, un de ses arrière-arrière-grands-oncles ayant été un des dix séna-

teurs de la première Chambre des Représentants
élue après la guerre civile. Les politiciens blancs
de l'époque le raillaient sous prétexte qu'il savait
à grand-peine signer son nom et se tordaient de
rire à chaque fois qu'il prenait la parole. Spéro
avait aussi accompagné Debbie aux concerts des
musiciens noirs, car avec elle il s'était pris à aimer
le jazz. Sur ce point, il était plus malléable qu'elle.
Il avait vainement essayé de la faire vibrer aux
rythmes des *léwoz*, des *toumblacks*, des quadrilles
et tout particulièrement des *kaladjas*, danses
d'amour qu'il affectionnait. Car en ce temps-là,
à chaque fois que la lune était pleine, les hommes
enfourchaient leurs tambours, *kas* – et Justin
parmi eux – et l'on dansait sur le morne Verdol.
Elle était restée de glace, se bornant à comparer
cette bacchanale aux danses Kongo des esclaves
de la Louisiane. (Cela avait été leur premier petit
désagrément.) Lui, qui ne croyait à rien et, du
temps qu'il restait à La Pointe, n'entrait à l'église
Saint-Jules que le 10 décembre pour la messe de
requiem de l'ancêtre, l'avait aussi accompagnée
aux services du dimanche. C'était une étrange
communauté que celle de l'église baptiste noire
de Samarie. Au temps de l'esclavage, ses prêtres
s'étaient cachés dans les granges pour enseigner
la révolte aux esclaves. A présent, les femmes
avaient le droit d'y prêcher et souvent Debbie,
debout au pied de l'autel, improvisait de sa voix
sonore que, dans leurs beaux jours, il comparait
à un *boula*.

« Une génération passe, une autre lui succède;
mais la terre subsiste toujours. Le soleil se lève,
le soleil se couche puis il se hâte de revenir à son

point de départ pour en repartir encore. Le vent souffle vers le sud, puis il tourne vers le nord; il tourne, tourne sans cesse et reprend les mêmes circuits. Tous les fleuves se jettent dans la mer, sans jamais la remplir; et les fleuves continuent de couler vers la mer dans laquelle ils se jettent. »

Depuis quelques mois, l'église baptiste noire de Samarie comptait une vraie femme prêcheuse. Paule, qui venait de Washington D.C., où elle s'était fait la voix dans les *storefront churches* et, de ce fait, électrisait les auditoires. C'était la dernière conquête en date de Spéro, qui lui avait fait la cour sans y mettre vraiment du cœur, par habitude, tout simplement parce qu'elle était la meilleure amie de sa femme.

Grâce aux femmes, Spéro avait fait sa découverte de l'Amérique. Debbie, que les bonnes âmes — nombreuses à Charleston — renseignaient sur chacune de ses infidélités, les traitait par le mépris. Est-ce que ce n'est pas connu? Africain, américain ou antillais, l'homme noir n'est pas taillé dans le bois des monogames. En privé, elle se comparait à la *bara muso* d'un polygame, s'accommodant de coépouses pour le plaisir de la couche de son mari, mais dirigeant l'économie du foyer. Elle n'avait abandonné sa superbe qu'une seule fois. A cause de Tamara.

Avant Tamara Barnes, Spéro sortait d'amours mouvementées avec Ruby, dont la vie aurait pu inspirer une nouvelle — peu originale, c'est entendu — sur le vieux Sud.

Ruby venait de Clarksdale, dans le delta du Mississippi, et avait tété ses premiers biberons dans le champ de coton où Julia, sa mère de

15 ans, cassait son dos en deux toute la journée pour un salaire de 4 dollars. Cela se passait en 1943 sur la plantation Hammond. Il suffisait de se tenir à 6 heures du matin à l'angle de la 4ᵉ Rue et d'Issaqueena, artères commerciales du quartier noir, et d'attendre les camions de la plantation. La sœur jumelle de sa mère Ruth avait pris la « route 49 », tant célébrée par les blues, et, goutte d'eau dans la marée humaine qui montait vers le nord, avait émigré à Chicago où elle gagnait 75 cents de l'heure en se louant. Elle pressait Julia de venir la rejoindre au paradis. Mais celle-ci ne s'y décidait pas, à cause d'un cueilleur de coton marié et père de famille dont elle était tombée amoureuse. Il devait être le père des deux enfants qui suivirent Ruby.

En 1958, et Ruby avait 15 ans, le miséreux de métayer avec lequel sa mère vivait à présent tenta de la violer. Elle lui enfonça une pioche dans le dos et sans regarder la couleur du sang qu'il saignait, partit droit devant elle et atterrit à Memphis. Comment elle parvint à y survivre, personne ne le sut. (Certains assurent qu'elle passa du temps dans une maison de redressement.) Toujours est-il qu'on la retrouve quelques années plus tard, dans un club assez élégant, ma foi, des camélias dans les cheveux, chantant les airs de Billie Holiday qui venait de mourir à New York. C'est ainsi que sa carrière — qui ne fut jamais très brillante à la vérité — commença. Spéro l'avait dénichée dans un club miteux et à moitié désert de Charleston. Mais Ruby en avait déjà trop supporté des hommes et ne tolérait pas d'être perdante une fois de plus. Elle fouillait les poches de Spéro et reniflait ses sous-vêtements; elle se postait en faction à quelques pas de son atelier et, quand il ne dormait pas dans son lit, lui téléphonait en pleine nuit en déguisant sa voix. Il avait fallu rompre.

Avec Tamara Barnes, Spéro se trouvait à l'autre bout du Sud. Une statue en pied de son aïeul, W.G. Barnes, partisan résolu de l'esclavage, s'élevait à Citadel Green. Tamara avait transformé en hôtel la résidence de douze pièces que ses parents lui avaient léguée, malheureusement, pour seul bien. Camelia House. Quatre lignes dans le guide touristique rappelant que la demeure datait de 1778 et que les prix y étaient raisonnables. Un matin que Spéro prenait le petit déjeuner avec une de ses innombrables conquêtes d'une ou deux nuits, il s'était trouvé face à face avec sa figure blanche de cire, ses yeux violets et cette chevelure rousse soigneusement tirée en arrière, lissée à l'eau de jasmin et roulée en chignon qu'elle avait héritée d'une émigrée russe blanche, épousée en mésalliance par son arrière-grand-père. A près de 40 ans, le cœur de Tamara portait encore le deuil d'un cousin qui avait cueilli sa virginité avant d'aller étudier à Harvard et de devenir le plus célèbre historien de la guerre civile et de la reconstruction. (Raciste, jugent les historiens noirs.) Fille unique, à 15 ans, elle avait enterré son père. Ensuite pendant dix-sept ans, elle avait soigné sa mère, cœur et corps brisés par la mort de son époux, avant de la conduire en pleurs à sa dernière demeure. Et puis, elle était restée seule pour défendre l'honneur du vieux nom.

Les habitants de East Battery, où s'élevait Camelia House, avaient beau la guetter sournoisement à toutes les heures du jour et de la nuit, ils n'avaient jamais vu un homme lui adresser la parole, à part un fournisseur ou un client. Le voyage de la couche de Ruby à celle de Tamara avait séduit Spéro — qui n'avait aucune attirance particulière pour les femmes blanches, contrairement aux idées reçues. Il est vrai qu'il était fasciné par cette Amérique-là. Fatalement blessée par l'histoire dès la fin du XIXe siècle, elle s'obstinait à survivre avec grâce et dignité. Les foules obèses piétinaient ses pelouses et admiraient ses azalées en mâchant des hamburgers. Les couples adultères dormaient sous ses draps. Qu'importe!

Sur l'écran du corps de Tamara, Spéro visionnait un feuilleton à épisodes. L'arrivée de la *Caroline*. Les pas hésitants d'une poignée d'Anglais venus de la Barbade avec leurs esclaves (dont Senior Middleton, l'ancêtre de Debbie). L'arrivée d'autres Anglais et celle un peu plus tardive des Africains, les riches plantations de coton, d'indigo et de riz, l'incendie de Columbia, la reddition des sudistes dans le village d'Appomattox et la fin d'une époque...

Il aimait aussi qu'elle aimât tellement l'amour. Il semblait qu'elle voulait rattraper d'un seul coup les grandes années de plaisir perdu. Elle fondait en eau et brûlait en boucan sous sa main et sa bouche. Ensemble, ils déparlaient. Au petit matin, quand il arrivait à s'arracher de sa couche, il trébuchait comme un homme sortant d'un débit de boissons et ne trouvait que des mots créoles pour exprimer l'infini contentement de son corps :

— *Mi mal-fanm, mi!* *
Un jour où ils reposaient l'un à côté de l'autre,
vannés après le combat d'amour, il se laissa aller
à des confidences. Ah, non! Il n'était pas seulement ce qu'il paraissait. Un peintre sans talent.
Un étranger qui massacrait l'anglais. Un coureur
de première qui dérespectait sa femme tout en
vivant à ses crochets. Il était tout autre chose.
Bref, il parla de l'ancêtre! Mais Tamara avait déjà
lu *Roots*. Et puis quand, par sa mère, on descend
des premiers pèlerins et, par son père, d'un cama-
rade de chambrée du général Lee, toutes ces
histoires de royautés nègres ne sont pas vraiment
convaincantes! Elle écouta à peine, bâilla et lui
donna dos dans le lit. Mortifié, Spéro resta une
grande semaine sans la voir et pendant des
semaines lui marqua en paroles un certain froid.
    Malgré tant d'années de vie à Charleston, Spéro
n'avait pas pris la mesure de la mentalité de la
ville et la fureur que déchaîna sa liaison avec
Tamara le saisit par surprise. Debbie lui fit
comprendre que c'était un crachat lancé à la face
non seulement de la communauté noire de Charleston, mais de la race noire d'Amérique, continuellement bafouée dans sa lutte pour la dignité,
et qu'il était un traître. Pendant des mois, il refusa
cette confusion. Il s'efforça même d'en rire. Puis
elle finit par lui gâter son plaisir et il s'inclina
devant le tollé général. Pourtant, quand il y réflé-
chissait, il lui semblait que précisément Tamara
l'avait fait sortir de la geôle où il se trouvait

* Quelle femme extraordinaire!

enfermé et où peu à peu il avait oublié le bon
goût de la liberté.

C'est vrai qu'il étouffait à Charleston! Qu'il
n'en pouvait plus des églises noires, des universités noires et des histoires noires des amis noirs!
Par moments, l'envie de rentrer chez lui le saisissait! Monter dans un avion. Atterrir au Raizet.
Les gousses des flamboyants avaient donné leurs
fleurs et le goudron saignait sous leurs pieds.

Pourtant peut-on revenir au pays les deux mains
vides et les poches pleines de trous? Peut-on revenir quand on n'a gagné que de la mousse blanche
aux cheveux et des crises d'arthrose cervicale?
C'est qu'il n'avait pas fait fortune dans son Amérique! Il n'y avait pas gagné un sou, ni en or ni
en cuivre! Il faisait partie de ces immigrants dont
on ne raconte pas l'histoire pour ne pas effrayer
les candidats au départ. Mais, vrai de vrai! fait-
on jamais fortune en Amérique? Menteries de
menteurs! Balivernes! *Pawol an bouch pa chaj!* *
Publicité mensongère! Pour un qui y sauve son
corps, quatre-vingt-dix-neuf y perdent leur âme.
L'esprit se perd à dénombrer la foule de ceux
qui sont venus frapper à la porte des rêves, dor-
ment dans les cauchemars. Parée pour la journée,
Debbie sortit de sa chambre et tendit de nouveau
sa joue à Spéro. Il l'accompagna jusqu'au porche,
jusqu'à la *piazza*, comme on disait à Charleston.
Tandis qu'elle se dirigeait vers les anciennes écuries transformées en garage à la gauche de la
maison, posant les pieds avec précaution sur les
grandes pierres plates de l'allée, il regarda autour

---

* Les paroles ne comptent pas!

de lui. Les arbres barraient la vue et on ne savait pas ce qui s'étendait au-delà de leur muraille détrempée par la pluie de la nuit. Au loin, on entendait la mer hurler sa colère. Toutefois le soleil s'était levé et restait assis comme un convalescent sur un coussin de nuages. Tout à l'heure, il sortirait prendre l'air.

Justin, le père de Spéro, avait été un de ces enfants qui semblent porter le deuil de leur maman enterrée à leur naissance. En outre son papa Djéré, tout à l'écriture de ses Cahiers, ne le regardait pas plus que la peinture écaillée des cloisons de la maison du morne Verdol et les taches plus sombres que faisait l'eau en gouttant du toit, jamais réparé, hivernage après hivernage. Heureusement qu'il y avait Hosannah, sa grand-mère, qui le traitait comme la prunelle de ses yeux. Elle l'habillait dans du velours et de la popeline de soie, avec de grands cols marins à triples liserés bleus. Elle le nourrissait de blanc de volaille et de purée de pommes de terre mousseline. Jamais de fruit à pain, de *dasheens,* ni de ces nourritures grossières dont les malheureux sont bien obligés de se contenter, avec de la morue ou du cochon salé. Autour d'elle, on se moquait de toute cette peine, car l'enfant n'apprenait pas à l'école. On voyait bien qu'il finirait comme son père qui ne faisait rien de ses dix doigts, l'esprit embrouillé par le rhum qu'il tétait à toute heure, et ne savait que raconter des bêtises d'ancêtre royal et d'exil en Martinique. Certains ne se gênaient pas pour blâmer Hosannah qui, après avoir gâté, pourri son enfant, en faisait à présent de même avec l'enfant de son enfant.

De mauvais plaisants, à force d'entendre Djéré débiter ses bêtises au Cerf-volant, un débit de boissons du bas du morne qu'il fréquentait quotidiennement, lui avaient donné le surnom de Wa Maj (Roi Mage), surnom qui passa plus tard à son fils. Le jour des Rois, on lui mettait une couronne en carton dorée sur la tête et on l'obligeait à payer une tournée générale de rhum agricole ou d'absinthe. Il s'exécutait avec l'argent dont Hosannah remplissait ses poches et déclamait des pages de ses Cahiers que personne n'écoutait.

Justin ne pouvait pas supporter son père. Toute son enfance, il se demanda pourquoi il n'avait pas un papa qui en semaine s'en allait travailler comme tout le monde à l'usine d'Arboussier, une gamelle à la main et le dimanche mettait un costume de drill blanc raide empesé. Pourquoi Djéré ne savait-il que s'asseoir derrière la table de la salle à manger, tremper sa plume dans un encrier de verre, griffonner depuis le matin jusqu'à la fin de l'après-midi sur du papier, raturer et le soir, quand il était saoul, raconter des histoires qui n'avaient ni queue ni tête? Il ne pouvait pas non plus supporter sa grand-mère. Hosannah était une négresse triste, véritable bête de labour qui ne faisait que travailler, travailler. Insensible à ses gâteries silencieuses, il lui reprochait de porter à Djéré une dévotion qu'il ne méritait sûrement pas. De le considérer comme le bon Dieu en personne. Et non pas comme un égoïste, un tafiateur, un insupportable raseur, qui ne s'occupait pas de ceux qui vivaient avec lui.

C'est seulement quand elle passa d'une mauvaise pleurésie, en deux jours, comme une chandelle qu'on souffle qu'il la regretta, car il dut se mettre à travailler.

Les histoires de Djéré, Justin ne les écoutait pas. Il n'y trouva de réalité qu'au moment où avec d'autres Guadeloupéens il alla faire son service militaire à la Martinique. A la différence de ses compatriotes qui sans trop savoir pourquoi ne portaient ni la Martinique ni les Martiniquais dans leur cœur, c'est avec contentement qu'il monta à bord du bateau. A cause de la pauvreté de sa grand-mère, il n'avait jamais quitté La Pointe. Même aux vacances, il restait à roussir sur le morne Verdol. Pour toute distraction, il s'en allait au port et regardait les grands paquebots qui traversaient l'Atlantique, sans même prendre la peine de rêver qu'il enjamberait l'eau un jour. Parfois, il se faisait un peu d'argent en portant les malles de fer ou d'osier des voyageurs, car il était très grand, très fort, étant bien nourri par Hosannah. Et puis, la Martinique, c'était le pays d'origine de sa famille maternelle. Une des rares fois où elle avait ouvert la bouche, Hosannah lui avait appris que les Jules-Juliette ne pouvaient pas se compter à Rivière-Prêcheur d'où sa mère Mayotte était venue pour chercher du travail en ville. La caserne où on l'enferma se trouvait dans le quartier Bellevue. Or il se trouva que le haut lieu de ce quartier était une maison de pierres roses enfouie au fond d'un jardin d'hibiscus, de robes-à-l'évêque et de crotons multicolores. Une vaste galerie l'entourait dont le toit reposait sur six colonnes blanches, vaguement doriques de forme, ce qui surprenait assez. Quand on collait le nez à la grille toujours barrée d'une lourde chaîne de fer, on apercevait un vieux bassin de pierre circulaire et un chérubin jouant de la flûte, dont le plâtre s'écaillait. On l'appelait la Maison du roi.

Justin fut six mois à passer devant cette maison sans s'arrêter ni tourner la tête. Puis, un beau jour, les bêtises que son père lui avait racontées lui revinrent à la mémoire. Qui avait habité cette maison?

L'oubli fait la toilette du souvenir, c'est connu. Les Martiniquais avaient perdu la mémoire de leurs railleries du tan lontan. Les grands-parents avaient transmis à leurs enfants, qui l'avaient transmise à leurs petits-enfants, une histoire édifiante et très belle. Tout le monde croyait avoir vu, de ses yeux vu, le vieillard déambuler sous un parasol tenu au-dessus de sa tête par une de ses femmes, au côté de son *honton*. Parfois, il emmenait son garçon dans ses promenades et l'enfant, qui répondait au nom de Ouanilo, passait fier comme il se doit pour un prince. Avec un luxe de détails, les gens décrivaient le sabre à large lame ouvragée qu'il portait au côté et surtout la frange de perles bleues qui cachait sa figure.

On n'avait jamais rien vu de pareil : on eût dit des raclures bleues, des perles tombées de la lune. Les gens racontaient aussi qu'un menuisier des Terres-Sainvilles lui avait taillé un trône dans du bois de mahogany d'après un dessin que le *honton* avait soigneusement tracé sur du papier d'écolier et qu'il s'asseyait là-dessus raide comme la justice. A près d'un siècle de distance, les gens s'offusquaient d'une histoire. Un professeur de français, un de ces métros qui viennent chauffer leur fainéantise au soleil des Antilles, avait décoché un coup de pied à Ouanilo avant de s'en aller fanfaronner à travers la ville :

— J'ai botté le cul d'un prince!

Ces paroles-là mirent pour la première fois dans la tête de Justin l'idée que Djéré ne faisait pas que déparler. Il commença à interroger les gens du quartier Bellevue qui ne se souvenaient pas de grand-chose. Quelqu'un lui conseilla de se rendre à la bibliothèque Schœlcher et il s'y enferma un jour de permission. C'est là qu'il trouva de poussiéreux journaux de l'époque qui parlaient effectivement de ce roi africain exilé par les Français et de sa suite : cinq femmes, deux enfants, plus son alter ego, le prince Adandejan. Dans un numéro du 13 décembre 1894, un long article était consacré à l'arrivée de son fils Ouanilo au lycée de Saint-Pierre. « Le jeune prince semble assez intelligent, écrivait le journaliste; il lit assez bien et forme assez habilement ses lettres. » Toutefois, on ne faisait nulle part mention d'une descendance locale. Pourtant Justin fut aussi transporté qu'un détective qui tient entre ses mains une pièce à conviction. Bref, fort de cela, il revint à La Pointe un tout autre jeune homme qu'il en était parti.

Comme Hosannah avait quitté notre terre trois hivernages plus tôt, il tenta de se rapprocher de

Djéré. Mais le rhum avait définitivement emporté l'esprit de ce dernier et il ne put rien en tirer. Il chercha à lire ses Cahiers, mais ne parvint pas à mettre la main dessus, Djéré — dont par ailleurs les mains tremblaient tellement qu'il ne pouvait plus tenir une plume — les ayant enfermés à double tour dans son armoire. Alors, il se mit à fréquenter les bibliothèques municipales de La Pointe et même les rayons d'histoire des librairies. Après son retour de la Martinique, tout le monde s'accorda à dire qu'il était devenu aussi raseur que son père.

En plus de cela, il devint arrogant. Le morne Verdol devint trop petit pour lui. Il assura qu'il n'y finirait pas ses vieux jours et qu'une terre l'attendait ailleurs. Un jour, il se prit de querelle avec son patron, Hassan el-Nouty, le propriétaire du Jardin d'Allah où il vendait des mètres d'indienne, et le traita de « sale Syrien ». Hassan el-Nouty ne l'entendit pas de cette oreille et l'envoya illico apprendre la politesse ailleurs.

Ce fut en ce temps-là qu'il épousa Marisia Boyer d'Etterville, et ce mariage-là fut vraiment renversant. Marisia Boyer d'Etterville avait d'abord porté Boisripeaux, le nom de Lacpatia, sa mère et de sa grand'mère avant elle. Puis, un coup de colère avait mis à l'agonie le béké qui dix-huit ans plus tôt avait engrossé Lacpatia, fille d'un mulâtre désargenté des Hauts-Fonds. Dans sa terreur des flammes de l'enfer, le béké légitima ses soixante et un bâtards et bâtardes disséminés à travers les savanes de la Grande-Terre, puis partit vers l'au-delà.

L'année où elle changea le nom de sa mère

fut aussi l'année où Marisia tomba malade, si malade que Lacpatia se mit à lui coudre sa robe de mort.

Pourquoi Marisia tomba-t-elle malade?

Ceux qui s'y entendent disent que le nom charroie l'essence des générations et s'amarre dans les grandes profondeurs. Des successions de femmes Boisripeaux nées et décédées avant elle avaient légué à Marisia depuis le jour de sa naissance, ou peut-être même avant, depuis le temps qu'elle avait commencé de nager dans le ventre de Lacpatia, leur vaillance, leurs espérances, leurs ambitions ensevelies et aussi leurs petitesses qui font que des personnes sont des personnes dans l'indulgence infinie du Seigneur. Brutalement arrachée à cette lignée-là pour entrer dans une autre qu'il ne connaissait pas, l'esprit de Marisia n'y avait pas résisté. Il s'était effondré et son corps l'avait suivi.

Pourtant Marisia en réchappa. Si blême qu'on aurait dit qu'une bête de nuit avait sucé tout son sang et si maigre que les pointes de ses os perçaient sa peau. Le soir de sa sortie de l'hôpital, comme Lacpatia l'installait avec tendresse dans une berceuse, elle lui annonça sa décision de se marier et le nom de celui qu'elle entendait épouser.

La pauvre mère pleura.

Les médecins s'interrogent encore sur les raisons de la guérison de Marisia. Ils la déclarent miraculeuse, mot qui ne veut pas dire grand-chose. Ce qui est certain, c'est qu'elle était en relation avec Justin. Marisia et Justin s'étaient connus à l'hôpital où, depuis qu'Hassan el-Nouty l'avait chassé du Jardin d'Allah, Justin glissait des bassins sous le derrière des patients, tout content d'avoir trouvé un emploi, même malodorant. Après quarante-cinq jours de maladie et son esprit détaché de son corps flottant inaccessible, entre ciel et terre, les yeux embrumés de Marisia avaient vu un homme de haute taille entrer dans sa chambre et s'approcher de son lit. Tout en l'enlaçant et en plaçant sous elle le froid objet d'émail, il avait murmuré :

— Tu me prends pour un rien-du-tout, un nègre très ordinaire, *a pa vré?* Collecteur d'excréments. Ramasseur de merde. *Mèt kaka?* Eh bien, je vais te raconter quelque chose, te dire qui je suis. Écoute-moi bien, et je ne dis avant de commencer ni *Tim Tim* *, ni *La Cour dort* *.

Ce que Justin lui souffla longuement à l'oreille, Marisia ne le répéta jamais à personne. Peut-être le garda-t-elle en mémoire pour illuminer les jours sombres de son mariage et Dieu sait qu'il y en eut. Toujours est-il que lorsque Justin se tut, sa bouche qui, depuis quarante-cinq jours ne laissait plus passer aucun son, s'écarta et laissa fuser un rire grêle vite changé en râle de plaisir sous ses assauts. Dès le lendemain, elle put s'asseoir sur son lit et avaler un peu de bouillon de poule. Dix jours plus tard, les médecins signèrent sa feuille de sortie. Les gens du morne Udol apprirent avec stupeur le mariage de Justin avec une jeune fille méritante et dont on respectait la parenté. Ils se perdirent en conjectures.

Qu'est-ce que c'était que cette affaire-là?

* Ouvertures rituelles d'un conte.

Justin n'avait rien pour lui. A part la bicoque du morne Verdol, ni biens, terre au soleil, maison de changement d'air. Ni diplômes. Ni peau claire. Son père était la risée de La Pointe avec son ivrognerie et ses histoires d'ancêtre royal. Il possédait seulement le bon souvenir que sa dévouée grand-mère Hosannah avait laissé dans les esprits.

Mais les gens avaient beau s'étonner, la date fixée pour la noce approchait. Un samedi, le dernier avant Noël, deux Oldsmobile vertes de location garnies de minces guirlandes de fleurs de jasmin s'arrêtèrent devant l'église Saint-Jules. Justin, Marisia, son jeune frère Florimond et Lacpatia en descendirent, suivis de Djéré, pour une fois dans son bon sens, un nœud papillon enserrant sa pomme d'Adam, les trois griffes de la Panthère étincelant sur chacune de ses tempes et on s'apercevait avec surprise que, malgré sa noirceur, il avait grand air. Ce mariage-là n'arrêta pas les curieux. On sentait bien qu'il n'apporterait le bonheur à personne et que bientôt l'épousée n'aurait que ses deux yeux pour pleurer. Aucune réception ne suivit la cérémonie à l'église. Il n'y eut pas de pièce montée. Lacpatia réchauffa le boudin et le colombo de cabri qu'elle avait apportés, et le groupe mangea dans la morosité.

Sitôt qu'il eut épousé Marisia, Justin quitta son emploi à l'hôpital et dit pour toujours adieu au travail. Désormais, il partagea son temps entre la musique et le bar du Cerf-volant. Il avait toujours aimé la musique. Mais comment l'étudier, Hosannah gagnait à peine de quoi assurer la nourriture ? Puis il apprit qu'un groupe de jeunes gens se réunissait autour d'un maître qui avait appris son art en Haïti et se mêla à eux dans une maison du faubourg de Nassau. Justin aurait pu devenir un fameux musicien, un égal des Siobud et autres grands de ce temps-là. Hélas! il n'était pas persévérant. Après une heure d'exercices sur sa clarinette, il la lâchait et courait au débit de boissons où, vite parti, il se mettait à raconter ses habituelles bêtises et oubliait ceux qui l'attendaient. La pauvre Marisia avait fort à faire avec Djéré et Justin, deux fainéants, deux boit-sans-soif sur les bras, parfois violents. Jusqu'à ce que dans sa grande bonté, Dieu rappelle Djéré à Lui; elle était alors enceinte de huit mois de son premier enfant.

On ne saurait dire ce qui finit Djéré. Probablement toute une existence de chagrin et de désillusions, vécue dans le souvenir de son ascendance ratée.

Justin ne pleura pas. Ce qui choqua les gens du morne Verdol.

On n'a qu'un seul papa. On n'en a pas deux ni trois. Le lendemain de la levée du corps, sous l'œil complice de Marisia, il fractura la porte de l'armoire de courbaril qui était debout à la tête du lit de Djéré. Il n'y trouva que des vieilleries qui avaient appartenu à l'ancêtre, des coupures de journaux, l'*Histoire illustrée de l'Afrique* d'Henri Veyrier avec une grande marque jaunie à la page 216 et les fameux Cahiers numérotés de 1 à 10. Ils étaient écrits à l'encre bleue des mers de Chine, d'une jolie écriture droite qui impressionna Justin. Sur la première page, Djéré avait dessiné un arbre généalogique qui se terminait par ce mot orgueilleux : MOI. Ensuite, il avait noté des phrases qui ne semblaient avoir aucun sens. Par exemple :

« La foudre est tombée sur le palmier, mais le rônier est intouchable. »

« L'oiseau cardinal ne met pas le feu à la brousse. »

« Le monde tient l'œuf que la terre désire. »

Après cela, venaient des dessins assez grossièrement coloriés. Un arbre. Un ananas. Un poisson. Un coutelas. Un éléphant levant la trompe. Un lion.

Enfin des dates étaient alignées en colonnes.

15 janvier 1894.

14 février 1900.

10 décembre 1906.

Intrigué, Justin se plongea dans la lecture des Cahiers eux-mêmes. À la surprise de Marisia, qui ne l'avait jamais vu parcourir même un journal, il s'y plongea trois jours et trois nuits entiers. Quand il en sortit, il avait un drôle d'air, comme s'il avait connu après sa mort l'âme secrète de son père. Et c'est vrai que Justin était plein d'un tardif remords. Au lieu de mépriser Djéré et de le prendre pour un misérable tafiateur, il aurait dû tenter de le comprendre, de s'expliquer avec lui. Comment réparer l'indifférence de sa conduite?

Après s'être creusé les méninges, une idée lui vint : et s'il faisait publier les Cahiers?

Ne sachant comment s'y prendre, il alla trouver M. Timoléon, son ancien maître de C.M. 2 qui, dans le temps, l'aimait assez car il avait la main verte et faisait pousser les giraumons du jardin de l'école. M. Timoléon était un original qui paraissait savant parce qu'il aimait citer des expressions en latin. Pourtant, quand Justin le consulta, il ne se jugea pas *grangrek* et lui conseilla d'envoyer le manuscrit des Cahiers à une certaine adresse à Paris. On verrait bien ce qu'on verrait.

Paris? En France?

Les deux mots firent peur à Justin. Et puis c'était la guerre avec les Allemands. Les Français devaient avoir bien d'autres choses en tête! Il remit donc les Cahiers là où il les avait trouvés et donna double tour à la serrure. Bientôt d'ailleurs, la naissance de Spéro vint lui ôter tout autre souci.

Spéro naquit à minuit tapant avec plusieurs semaines de retard sur la date prévue, comme s'il ne se décidait pas à venir voir ce qui se passait dans notre bas monde, quelques jours avant la Noël. C'était un triste Noël. Dans toutes les églises, on faisait dire des messes pour les jeunes Guadeloupéens partis sous les drapeaux. Devant l'église Saint-Jules, un tableau portait la liste des victimes. Pourtant le morne Verdol était dans la liesse, Voisine Mondésir réunissant les gens pour ses « Chantez Noël » comme les autres années et chaque famille engraissant son cochon. Clair de peau comme sa mère, les cheveux plutôt *chabin*, Spéro était couvert de taches sombres tout le long du dos, depuis les omoplates jusqu'à la chute des reins. Marisia eut beau répéter qu'il s'agissait là d'une banale envie d'olives noires qu'elle avait eue dans son septième mois, Justin ne parvenait pas à enlever de sa tête qu'il s'agissait de tout autre chose. La Panthère! Oui, c'était elle!

Quand son garçon eut quelques mois, il le circoncit lui-même. Puis il pratiqua sur ses tempes les incisions rituelles que portait son père mais que, vu la négligence de ce dernier, il ne portait pas lui-même. À peine Spéro sut-il lire qu'il lui mit entre les mains les Cahiers de Djéré et le petit en ânonnait les premières phrases de sa voix fluette avant d'y prendre plus de goût qu'aux histoires qu'on lui racontait à l'école. Le chapitre sur les origines de l'ancêtre l'enchantait tout particulièrement.

Malgré les coups de colère de Marisia, Justin emmenait Spéro partout avec lui. Au Cerf-volant où il lui faisait boire une petite limonade à l'anis. Aux *léwoz* de Chauvel et Besson. Aux concerts de « La Minerve » et de « La Semeuse ». Les gens disaient même qu'il l'emmenait chez ses maîtresses et qu'assis dans une berceuse, un sucre d'orge à la bouche, Spéro attendait la fin des plaisirs de son père.

À treize ans, il lui fit couper son premier costume en coutil grège et l'emmena danser au *bal titane* animé par l'orchestre « El Calderon ». Mais le garçon avait peur de faire lever les filles et

restait debout comme une souche sans danser.
Qu'espérait Justin de Spéro? Qu'il le ramène en
Afrique? Vers le Dahomey? Rien n'est moins sûr!
Toute cette histoire d'ancêtre n'avait pas beaucoup de réalité pour lui et il est peu probable
qu'il aurait pu vivre loin de ses habitudes du
morne Verdol. Plus vraisemblablement, il attendait de Spéro qu'il fasse parler de lui d'un bout
à l'autre de la Guadeloupe, qu'il donne du lustre
à la famille et comble son père, qu'on avait toujours traité avec dérision.

Le départ de Spéro pour l'Amérique le brisa.
C'est comme s'il l'avait vu prendre le chemin du
cimetière, en voiture de pompes funèbres tirée
par quatre chevaux. Et puis, cela choquait son
sens. Depuis quand est-ce que ce sont les hommes
qui marchent derrière les femmes? C'était à Debbie de s'établir là où voulait son mari! Pour la
galerie, il prétendit que son garçon ne saurait
vivre loin de lui et reviendrait au morne Verdol.
Quand les années eurent succédé aux années sans
que cela se réalise, il devint un vieux corps. Sa
taille de palmier royal se cassa. Son pas agile
devint traînant. Il s'enferma tant et si bien dans
ses pensées moroses qu'il ne reconnut plus personne, passant sur des connaissances sans leur
donner ni le bonjour ni le bonsoir. Il cessa même
de s'intéresser au rhum et ne prit plus le chemin
du Cerf-volant où ses anciens compagnons de
bordée l'attendaient en vain. Seule lui resta la
musique. Il s'asseyait sur sa galerie, embouchait
sa clarinette et vous jouait de vieux airs de biguine
du temps où il était dans les jeunesses de Siobud.
Les gens du morne s'attroupaient à ces concerts

gratuits et applaudissaient des deux mains avant de se disperser en hochant la tête. Vrai, c'était pitié de voir ce que ce pauvre bougre de Justin était devenu depuis le départ de son enfant. Personne ne sait quand il commença à se prendre pour l'ancêtre. Il se mit à marmonner des discours incompréhensibles où il était question de lieux de sépulture, d'offrandes rituelles, d'interdits et de culte. D'un air pénétré, il coupait le cou aux poulets et faisait gicler le sang. Il refusait obstinément de manger de la « vieille », poisson tacheté, les jours où Alexia, la bonne que Maxo avait dû louer pour remplacer Marisia dans la cuisine, l'assaisonnait en *blaf*. Chaque soir, à la tombée de la nuit, il descendait le morne Verdol penché en avant, les coudes au corps, les mains derrière le dos, tenant serrée entre ses dents la longue pipe noire ornée d'incrustations d'argent qui avait appartenu à l'ancêtre et l'ôtant de temps à autre de sa bouche pour cracher dans un crachoir d'argent qu'il tirait d'une de ses poches. Les gens sortaient sur le pas des portes pour le regarder passer. Les gamins lui emboîtaient le pas. A cause de sa pipe, ils l'avaient surnommé Gueule-en-zinc.

Après que la voiture de Debbie eut disparu entre les arbres, Spéro resta un bon moment debout immobile sur la *piazza,* un air chargé de vapeur d'eau étalé sur sa figure. Crocker Island ressemblait bien peu au morne Verdol! Comment se faisait-il qu'il finisse sa vie dans ce coin solitaire, lui qui avait grandi dans le désordre, la chaleur et la promiscuité? Pourtant il y avait dans ce cadre qu'il affirmait haïr quelque chose qui correspondait bien à ce qu'il était. Quelque chose qui correspondait bien au véritable Spéro.

Pour lui, l'enfance avait été un corridor qui n'en finissait pas, un sentier qui traçait ses *s* à travers une savane désolée. Il en était sorti pitoyable, pas préparé du tout à courir après une carrière, rencontrer des femmes, faire l'amour avec elles, faire pousser des enfants et encore moins apprendre à ceux-ci la signification de l'existence.

En apparence, Spéro était un gaillard, le portrait craché de Justin en plus clair (en fait, c'est lui qui, davantage que les deux autres, avait hérité du sang blanc de Marisia), assez brigand et désordonné. Ses compagnons d'école avaient appris à ne pas se moquer de lui en l'appelant Wa Maj, comme son père, car alors ses poings cognaient dur.

Au fond, au fond, c'était un petit garçon peu sûr de lui-même qui, sans en jouer, rêvait d'être un virtuose du violon et que la dureté du cœur de sa mère mettait à l'agonie. Pour lui, jamais un mot doux ni une caresse alors qu'elle couvrait de baisers Maxo et Lionel. Toutes les femmes préfèrent leur garçon premier-né. Pourquoi pas Marisia?

A cause de cette partialité, après l'école, il restait à jouer aux *mabs* dans les dalots. Souvent, il ne rentrait pas pour le déjeuner et ne réapparaissait qu'au moment des « avis d'obsèques » après le bulletin d'informations de 7 heures du soir. A cause de cela, il était l'inséparable de son père, riait comme lui, était grossier et se consolait avec sa préférence.

Marisia resta toujours le grand amour du cœur de Spéro. Aucune femme ne lui fit jamais le même effet. Il ne pouvait s'empêcher de comparer les formes de Debbie, solides, carrées, un peu mastoc avec les siennes, fluettes, peu développées, rendues encore plus fragiles par sa dure maladie. Quand il vivait au morne Verdol, il collait son œil contre les interstices de la case à eau et regardait le contenu d'un *kwi* ruisseler le long du corps pâle de sa mère. Il aurait aimé être cette eau-là. Il aimait par-dessus tout le vallonnement de ses seins et la forêt dense de son pubis. Cette image qu'il portait en lui fit qu'il resta vierge jusqu'à l'âge de 17 ans quand, lors du mariage à l'église de la fille d'une voisine, une jolie garce dénommée Délices le déniaisa proprement. En fait, quand il rencontra Debbie, il n'avait eu que peu de maîtresses et la passion avait tenu lieu d'expérience.

Il se décida à rentrer à l'intérieur, fermant soigneusement les verrous compliqués qu'il avait fait mettre à la porte d'entrée. Debbie se moquait de ces précautions et lui rappelait qu'on n'avait jamais attaqué ni dévalisé personne dans l'île. Mais ce qu'il lisait dans les journaux lui faisait peur. En vérité, qu'est-ce qui avait donné à Thomas Middleton Sr l'idée d'acheter cette terre à Crocker Island et d'y bâtir sa maison? Les marécages de l'île n'avaient jamais attiré personne. Même du temps que le riz était roi et faisait la richesse des plantations de Charleston, elle était uniquement occupée par des crabes et rongée par des bancs d'huîtres. Il est vrai que Thomas avait acheté ces hectares pour une bouchée de pain en ces années où le général Sherman attribuait des terres aux nègres nouvellement libérés.

Spéro retourna dans la cuisine, s'assit et remplit une tasse du café tenu au chaud dans la cafetière.

Il suivait en pensée le trajet de Debbie. Bientôt, elle dirigerait sa 4 x 4 le long des rampes du ferry, puis gagnerait le cœur du quartier noir où s'élevait l'église baptiste de Samarie. Quand elle arriverait, Paule aurait déjà coiffé son turban et revêtu l'aube blanche flottante dans laquelle elle officiait. Assise sous une croix, elle relirait les paroles du Livre saint qui allaient alimenter son sermon.

« Si l'on ne s'amende pas, Dieu aiguise son épée
Il bande son arc et il le tient prêt
Il prépare contre le méchant des armes terribles. »

Paule! Spéro n'en revenait pas de la facilité avec laquelle il avait séduit cette servante de Dieu. Un jour qu'il était rentré dans l'île à l'improviste, il avait trouvé Debbie en grande conversation avec cette câpresse à faire flamber un bénitier qui depuis des années prétendait vivre dans la seule compagnie du bon Dieu; entre elles un enfant de dix ou douze ans, avec ce maintien accablé des garçons élevés par les femmes seules. Debbie et

Paule discutaient du moyen de rendre de l'attrait aux *sunday schools* désertées, seul moyen de lutter contre la drogue et l'argent facile. Il avait suffi à Spéro de quelques regards appuyés, de quelques paroles adroitement glissées, de quelques pressions des mains pour obtenir le numéro de téléphone, un rendez-vous et pour finir une place dans le lit de Paule. Ils se rencontraient deux fois la semaine au début de l'après-midi dans son petit appartement encombré de plantes vertes, d'images pieuses et, répliques de celles de Debbie, de reproductions de Romare Bearden et de photos de Martin Luther King Jr, Malcolm X et Jessie Jackson. Malgré cela, elle continuait d'être l'inséparable de Debbie, qui l'aidait à préparer ses sermons, ramenait son fils Chaka de l'école ou le conduisait à ses leçons de violon. Elle continuait de la voir ou de lui téléphoner tous les jours des heures entières.

Spéro avait l'intelligence de ne pas la mépriser pour cela, comprenant bien qu'elle était victime de cette grande solitude des femmes noires qui fait l'objet de tant d'articles d'*Ebony,* ou de revues plus sérieuses. Cette solitude-là avait jeté des dizaines et des dizaines de femmes dans ses bras! Certaines portaient le deuil d'un amour mort de mort violente dans un terrain vague ou enfermé à perpétuité derrière les barreaux d'une prison. Pour d'autres, abomination des abominations, l'amour s'en était allé partager la couche d'un autre homme. Pour d'autres enfin, plus cruel encore, il avait trahi la race et, au bras d'une blonde, avait rejoint le camp de l'ennemi. Toutes

étaient restées avec un cœur et un corps à prendre
et deux yeux pour pleurer.

Buvant son café à petites gorgées, Spéro imagina Debbie et Paule dans la grande salle éclairée
au néon, de part et d'autre de leur secret malodorant, parmi les fidèles saisis par l'Esprit, chantant, frappant des mains, se balançant de droite
et de gauche, levant vers l'autel leurs figures
trempées de sueur et de larmes. S'il arrivait souvent à Paule, dans la chaleur d'un sermon, d'être
elle-même emportée, de perdre le contrôle de soi
et donc de gémir ou de vociférer avec passion,
Debbie, quant à elle, ne cédait jamais à ces émo-
tions. Au milieu du pire désordre, elle restait
assise ou se mettait debout, raide et le dos bien
droit, chantant en mesure. Et Spéro le lui reprochait comme le signe d'une incapacité. Il avait
toujours rêvé de prendre part à ce délire collectif,
de se lever debout lui aussi, suant, trébuchant,
possédé par la fureur de Dieu. Car il n'avait jamais
rien connu de pareil aux services de l'église baptiste de Samarie, même dans la fièvre des *léwoz*
de Chauvel et Besson. Ainsi, c'était la date anniversaire de la mort de l'ancêtre et il l'avait oubliée!

Le premier 10 décembre qu'ils avaient passé à
Charleston avait été aussi l'occasion de sa première grande querelle avec Debbie. Sans lui
demander son avis, elle avait invité à passer la
soirée à Crocker Island un professeur d'histoire
africaine *emeritus,* une romancière qui, après un
premier ouvrage paru trente ans plus tôt avec un
modeste succès, ne cessait d'en réécrire un second
sur la guerre civile, un ancien danseur d'Alvin
Ailey devenu obèse, deux ministres du culte et

leurs épouses, sans compter son meilleur ami, le sociologue Jim Marshall. Tous ces gens solennels comme des employés des pompes funèbres, après avoir fixé avec gravité le portrait de l'ancêtre descendu pour la circonstance dans le salon au-dessus d'un vase de fleurs, avaient englouti la sauce aux gombos, les huîtres farcies, le poulet frit, le riz pilaf, les patates douces confites et la tarte à la citrouille qu'elle avait passé la journée à préparer. La conversation avait roulé sur W.B. Du Bois, que le professeur *emeritus* avait très bien connu avant son départ pour l'Afrique. Puis la romancière avait lu dans un silence religieux de larges extraits de son futur roman avant que Jim Marshall ne décrive son séjour à Kumasi dans les années 60 et ses relations avec l'*Osagyefo* Kwame Nkrumah ainsi qu'avec l'*Asantehene* Agyeman Prempeh II, le premier représentant le pouvoir politique moderne et le second le pouvoir traditionnel. Après le départ des invités, Spéro avait rappelé à Debbie que l'anniversaire du 10 décembre était une cérémonie strictement familiale instaurée par Hosannah quand elle avait appris la mort du père de son enfant. Il la priait donc de ne plus s'en mêler.

Désormais il se chargeait lui-même de faire dire une messe à l'église catholique de Hill Street; il fleurissait la maison des roses blanches du souvenir et faisait brûler de l'encens dans de petits pots de terre. Quant à la pratique du repas sans sel, pour beaucoup de raisons, elle s'était perdue.

Spéro lava sa tasse dans l'évier, la rangea, puis alla prendre place dans un fauteuil du salon qu'il affectionnait, avec son velours bleu défraîchi et ses franges dorées.

Par la fenêtre ouverte à deux battants, il voyait le soleil monter, monter vers la tête des sycomores.

Djéré n'avait que cinq ans quand son père avait quitté la Martinique, et pourtant il croyait avoir en mémoire chaque détail de son apparence et chaque parole de sa bouche. Sa tête était bien posée sur ses deux épaules dont l'une toujours nue, frottée d'huile, brillait comme un phare tandis que l'autre était recouverte d'un riche pagne tissé. Elle touchait les plus hauts des *pié bwa,* ce qui fait que les fleurs jaunes de l'ylang-ylang, l'arbre à parfum, ou les fleurs rouges du flamboyant s'accrochaient à sa mitre. Sur ses tempes étaient creusées les trois griffes de la Panthère dont toute sa personne, malgré le grand âge, avait la vigueur et la grâce. Quand il posait sur la terre ses deux pieds chaussés de pantoufles de brocart ou de sandales de peau de buffle, celle-ci se courbait sous son poids. Il aimait à parler de son père, le plus grand des Huegbajehennu victime avant lui de la duplicité des Français. Sa voix s'enrouait quand il rappelait la trahison de certains de son entourage. De son grand prêtre, de son devin, de tant de membres de sa famille, peut-être même de son frère qu'après lui les Français avaient mis sur le trône. N'avait-il accepté que pour sauver le royaume? Avait-il eu peur de le voir passer entre les mains d'un *anato,* étranger au sang? Quand il sut que les Français l'avaient déposé à son tour, il resta trois jours et trois nuits sans boire ni manger dans sa chambre et les épouses de Panthère l'entendirent sangloter et appeler à l'aide les *daadaa.* Parfois le soir quand Djéré refusait de prendre sommeil et de téter le sein d'Hosannah, il le berçait dans ses bras et chantait en langue fon de sa voix chaude et juste :

« Le Danhomè de Huegbaja est un soleil qui éblouit
Aucun œil ne peut le regarder fixement
Le danhomè de Huegbaja est un rocher
Aucun pied ne peut le fouler sans saigner. »

Il aimait aussi à parler de ses guerres et de ses batailles, surtout de la dernière, qu'il avait perdue. Ses deux yeux lançaient des éclairs quand il décrivait la traîtrise de Dodds, le massacre de ses amazones et les carnages commis par les Français. Des fois aussi, il priait Ouanilo juché sur un tabouret de lire à voix haute des passages de *La Gloire du sabre* de Vigné d'Octon, qu'il écoutait sans jamais en être fatigué :

« Il n'y a pas de routes ni de sentiers qui ne soient marqués de nombreuses étapes pareilles, gîtes de mort et de crime, dépôts résiduaires du seul commerce qui fleurisse en ces contrées sous la protection de notre drapeau. »

Après ces lectures, il sombrait dans un profond abattement. Chaque matin, ses femmes jetaient au pied du catalpa du jardin l'eau qui avait servi à son bain. Pour manger et pour boire, il s'enfermait avec Hosannah dans une pièce de la maison où personne ne pénétrait jamais et Djéré savait que c'était en l'une de ces occasions qu'il avait été mystérieusement conçu.

Un matin Hosannah, dont les yeux étaient rouges et les paupières gonflées, lui enfila son meilleur costume, une culotte de velours bleu sombre, une chemise blanche avec un grand col marin et lui mit aux pieds des chaussures à barrettes vernies. Puis elle inonda ses cheveux d'eau de Cologne Jean-Marie Farina et les brossa vigoureusement. Une grande agitation régnait dans la maison depuis le devant-jour. De grosses malles de fer, des paniers caraïbes et des paquets étaient en tas dans la cour. Drapées dans des pagnes de brocart, les épouses de Panthère qui parlaient parfaitement le créole à présent, s'arrêtaient de mâchonner leurs cure-dents pour donner leurs ordres à une kyrielle de porteurs, poitrails en sueur, jambes sèches. Vêtue d'une robe d'organdi, la princesse Kpotasse s'efforçait de faire entrer dans une cage les oiseaux de sa volière : foufous, pigeons ramiers, pics noirs, grives à tête jaune. Tout le monde courait de droite et de gauche. Seul le vieillard demeurait silencieux, assis le dos raide contre le dossier d'un fauteuil, sa mitre posée un peu de travers, les mains crispées sur le pommeau de sa canne. Sur le coup de 9 heures, on prit la direction des quais.

Le départ de son père fut le premier drame de l'existence de Djéré. Jusque-là, il avait été le fils d'un roi en exil, choyé, bercé, passant de bras en bras. Il grandissait dans une villa coloniale qui n'avait rien à envier à celle des békés de la route Didier et devant laquelle deux gardes, fusil sur l'épaule, buvaient du vent en permanence. Les épouses de Panthère le mettaient au dos lorsqu'elles faisaient leur promenade et lui, chérubin, riait en regardant les nuages dériver à travers le ciel au-dessus de sa tête. Du jour au lendemain, il ne fut plus que le bâtard sans papa d'une servante, revenue vivre aux Terres-Sainvilles, dans le taudis de sa grand-mère, aussi noire que le charbon qu'elle enfournait dans le ventre des navires de la Compagnie générale transatlantique se hâtant vers Saint-Nazaire, Santiago de Cuba ou Vera Cruz.

Pourquoi son père, qui semblait tant l'aimer, ne l'avait-il pas emmené avec lui ? Pour signifier sa douleur et sa révolte, du matin au soir, il hurlait un seul mot, férocement :

— *Daadaa!*

La nuit, il se réveillait en criant le nom du grand frère adoré :

— Ouanilo! Ouanilo!

Il détestait le *lakou* où il habitait. Il détestait les Terres-Sainvilles, appelées par dérision quartier des Misérables, endroit fétide où versaient régulièrement des cabrouets chargés de matières fécales. Il haïssait Mayotte, sa grand-mère. Il haïssait Hosannah. Quand elle revenait à la maison, suante et vannée d'avoir récuré le plancher d'un béké, il la mordait, la griffait, lui crachait à la figure. Il rêvait de faire couler son sang au-dehors, de la tuer à coups de couteau. Hosannah ne le frappait pas, ne se défendait pas contre ses

méchancetés et répétait d'une manière mécanique comme s: elle-même ne croyait pas à ce
qu'elle disait :
   — *I ké vini! I ké vini chèchè'w!* *

Un minuit, des grondements ébranlèrent le
silence tandis que des trépidations secouaient les
dormeurs carrés dans leurs couches. Effarés, de
la cire plein les yeux, les habitants des Terres-
Sainvilles s'assemblèrent devant leurs portes, la
tête levée vers le ciel couleur d'encre çà et là
parcouru de striures orange, se demandant quel
mauvais coup le destin leur portait encore. C'était
la montagne Pelée qui entrait en éruption. Le
lendemain, la Savane transformée en hôpital ne
put accommoder les blessés, la bouche, les lèvres,
l'estomac incendiés, brûlés, qui arrivaient des
communes du nord de l'île. Les soldats n'arrivaient pas à contenir la foule des curieux qui se
pressait pour les voir. On disait que Saint-Pierre
elle-même était détruite pierre sur pierre. On
parlait de 40 000 morts! On disait que la Martinique ne comptait plus un seul béké!

D'une certaine manière, le mariage d'Hosannah avec Romulus améliora l'existence de Djéré.
Hosannah avait enfin fini d'user ses genoux à
frotter les planchers d'un béké et avait trouvé
une place de fille de salle à l'hospice civil de la
pointe Simon. Là, elle avait lié connaissance avec
un infirmier guadeloupéen qui, après un violent
combat avec son père pour une histoire de terre
et de maison, avait choisi de mettre le canal de
la Dominique entre son île et lui. Malgré son

---

* Il va venir! Il va venir te chercher!

enfant à crédit, l'infirmier tomba si fort épris de ses grands yeux mourants et de sa fossette au menton qu'il ne tarda pas à lui proposer non pas de rester avec elle, mais de se marier à la mairie et à l'église. Sur ces entrefaites, il devint un beau parti, car son père passa et le bien qu'il lui avait si injustement refusé devint le sien. Néanmoins, Hosannah hésita longtemps avant de dire oui. Fille unique, elle n'avait pas le cœur à laisser sa pauvre mère derrière elle. Aussi Romulus, après près d'un an d'attente et d'espérances, dut-il s'incliner et proposer de se charger de la vieille en plus du bâtard. En fin de compte, au mois de mars 1906, Djéré avait tout juste 10 ans, la nouvelle famille entassa ses quelques possessions, trois lits, deux berceuses, une commode et un beau guéridon en bois de courbaril, à bord du vapeur *Jésus Marie Joseph* qui faisait route vers La Pointe. Djéré serrait dans son cartable d'école son seul bien : la photo prise quand il avait un an et riait beau chérubin dans les bras de la plus âgée des reines. Debout à quelques pas de lui, son bras passé sous celui de Romulus, Hosannah portait une robe en madras à carreaux violets et jaunes que le vent gonflait comme une cloche au-dessus de son jupon et lui qui croyait la haïr s'apercevait avec stupeur qu'elle était belle et jeune.

Comme la majorité des passagers, Djéré rendit ses tripes et ses boyaux pendant les treize heures de traversée sur la mer et n'ouvrit les yeux qu'en entrant dans la rade de La Pointe. Il fut saisi. Une multitude d'îlots verdoyants flottaient sur l'eau comme des confettis décorés par endroits de cases bancales, de cocotiers penchés, de rai-

siniers aux feuilles peintes en rouge et vert. La
Pointe s'étalait au fond d'une baie que bornaient
à droite les cheminées de l'usine d'Arboussier,
vomissant sans arrêt leurs raclures de cendres.
Sur les quais, des douaniers aux allures de gardes-
chiourme surveillaient dans une odeur de frai des
débardeurs harassés. Le cœur de Djéré fut
conquis. C'est tout de suite qu'il préféra La Pointe
à Fort-de-France. La ville se relevait avec bonne
grâce et courage d'un tremblement de terre, d'un
cyclone et de deux grands incendies. Ils remontèrent la rue de la Loi où les tilburys démodés
croisaient les Chandler et les Cleveland à six
cylindres qui filaient tout droit jusqu'au pied du
morne Verdol. Quelle différence avec le *lakou*
des Terres-Sainvilles! La case de quatre pièces en
bois du Nord entourée d'une vaste galerie que la
mort avait obligé le père de Romulus à lui laisser
enchanta Djéré. Un goyavier, un citronnier et
des pieds de pois d'angole tout chargés de cosses
poussaient dans un bout de terrain adjacent.
C'était déjà une promesse de bonheur! Pourtant
les premiers mois ne furent pas faciles. Si Mayotte
retrouva sans peine un emploi de charbonnière,
Hosannah passa des heures vaines au marché
d'embauche des *das*. On lui reprochait d'être
martiniquaise, de parler un créole que personne
ne comprenait et de relever étrangement sa
grande robe sur son jupon. Il fallut huit mois
avant que Romulus ne parvienne à lui trouver
une place de fille de salle à l'hôpital général.
Pendant ce temps, elle faisait des lessives à domicile, respirant l'odeur du linge sale des bourgeois.
On traitait aussi Djéré de Martiniquais à l'école

privée du faubourg Vatable où Romulus l'avait inscrit, car les frères de Ploërmel n'avaient pas voulu de lui, à cause d'une incontinence d'urine dont il ne se guérit jamais tout à fait. On le trouvait bien noir et on riait surtout des belles balafres que le prince Adandejan lui avait ciselées sur les tempes. Il apprit très vite à cacher que son père était un roi africain, car alors maîtres et élèves en faisaient des gorges chaudes.

— Un roi africain! *Ka sa yé sa?* *

Il n'avait pas d'amis et faisait l'école buissonnière tout seul, traînant des journées entières parmi les mauvais coucheurs et les dames-gabrielle du quartier Dino.

Au mois de juin 1907, Mayotte tomba raide sur la pile de charbon qu'elle attaquait à coups de pelle et le médecin ne put que confirmer l'arrêt du cœur. Ce fut un grand chagrin pour Hosannah qui malgré l'attention de Romulus se sentait toujours une étrangère au morne Verdol.

Romulus Agénor qu'elle venait d'épouser était un homme de cœur bon et sensible. Son père l'avait tellement roué de coups pour un oui pour un non qu'il haïssait la violence que les adultes exercent sur les enfants. Il comprenait son beau-fils, sa rage, sa révolte, ses crises de larmes et de brutalité. Aussi il n'essaya jamais de se substituer à l'image du vieillard qu'il portait dans le fond de son cœur, rayonnante comme un saint sacrement. C'est pour cela — et bien des gens ne le comprirent pas — qu'il ne le légitima pas au moment de son mariage, voulant laisser la porte

* Qu'est-ce que c'est?

ouverte à l'avenir. Qui sait si un jour le véritable père ne se raviserait pas et ne ferait pas venir son enfant auprès de lui là où il était? Les années qui passaient ne le décourageaient pas. Nouvel an après nouvel an, il obligeait Djéré à adresser ses bons vœux à son père sur des cartes qu'il choisissait lui-même et dont il libellait aussi les enveloppes :

M. Gb***
Roi africain en exil
Blida, Algérie.

Comme Hosannah ne pouvait – ou ne voulait – lui donner aucun renseignement sur l'ancêtre, il se plongea dans des recherches personnelles. En ce temps-là, je parle d'avant la Première Guerre mondiale, aucun bruit ne filtrait de l'Afrique. Le continent tout entier était sous la botte des Français et des Anglais qui l'avaient dépecé comme un gibier. Les livres d'histoire ne vous montraient que des esclaves enchaînés ou tenus au cou par une fourche appelée *mayombes,* des tirailleurs sénégalais et des négresses dites à plateau. Romulus avait beau passer des heures et des heures dans les bibliothèques municipales, il ne trouvait pas grand-chose. Un jour pourtant, à la bibliothèque Lambrianne, rue Peynier, il tomba sur toute une collection de *L'Écho des colonies.* C'est ainsi qu'il apprit avec près de quatre ans de retard la mort du vieillard dans son exil de Blida. On disait que, pour des raisons de sécurité, le gouvernement français avait refusé de faire ramener son corps au Dahomey.

Romulus resta saisi. Comment apprendre une pareille nouvelle à Djéré? Si Hosannah, s'estimant trompée et abusée, ne voulait plus entendre nommer le nom du père de son enfant, il savait les sentiments que ce dernier lui portait dans le secret de son cœur. Il tergiversa donc trois jours. Finalement, devant une image du Sacré Cœur de Jésus qui décorait une cloison de la maison, il révéla ce qu'il venait d'apprendre.

La mort de l'ancêtre fut le deuxième grand drame de l'existence de Djéré. Au fond de lui-même, il avait toujours espéré qu'il redeviendrait l'enfant d'un grand de ce monde, qu'il vivrait ailleurs. Ailleurs que sur cette *krazur* de terre, ballottée sur l'océan! Ailleurs que dans la promiscuité et la touffeur du morne Verdol!

Quand il sut la triste vérité, il commença par se jeter dans la Darse, nager vers le grand large, puis se laisser dériver sur l'eau. Des pêcheurs relevant leurs nasses le repêchèrent alors qu'il allait couler et le ramenèrent sur les quais de La Pointe. A peine au sec sur le morne Verdol il avala du pétrole et, comme si cela n'était pas assez, tenta de s'enfoncer des lames de rasoir dans les poignets. Cette hémorragie le coucha quatre jours à l'hôpital général. Ce n'est qu'à la suite de ces diverses tentatives qu'il se résigna à supporter l'existence.

Hosannah, de son côté, ne trahit ni peine ni émotion. On aurait dit que tout cela ne la concernait même pas. Pourtant, au 10 décembre qui suivit, elle commanda une messe de requiem à l'église Saint-Jules à laquelle elle assista tout de noir vêtue avant de servir à Djéré et Romulus le premier repas de deuil qui fonda la tradition.

Après quoi, la vie reprit son cours dans la maison du morne Verdol. Mais le malheur ne se lasse pas. Il frappe, il frappe et brise les humains.

Romulus était aussi bon beau-père que bon mari. Il appartenait à l'espèce rare des hommes présents à tous les repas à la table de leur femme et présent aussi chaque nuit dans leur couche. Une seule passion l'attirait hors de chez lui : les combats de coqs. Comme Hosannah ne tolérait pas pareilles horreurs dans sa maison, il gardait ses coqs de combat chez son ami d'enfance, Saturnin Rosebois, qui habitait sur le canal Vatable. Il en possédait six, très exactement six qui venaient de Cuba, bêtes féroces au cou déplumé et écarlate qui répondaient à des prénoms fort saugrenus. Kou Pliché, Gwo Modan, Zyé Koklech, Ti Bonda, Lévé Fésé, Ayin pou Ayin.

Chaque samedi de bonne heure, qu'il pleuve ou qu'il vente, Romulus prenait le chemin du canal Vatable où Saturnin l'attendait. Portant dans des cages de fer les bêtes nourries depuis trois jours de boulettes de jaunes d'œufs assaisonnées au poivre de Cayenne, les deux hommes prenaient place à bord du vapeur qui les menait à la jetée de Petit-Bourg de l'autre côté de la baie de La Pointe. Ils ne prêtaient aucune attention au magnifique paysage qui se déployait devant leurs yeux. Le vapeur longeait la mangrove littorale qui recouvre les côtes basses et vaseuses de la Rivière-Salée, puis les forêts de mangles-rivières qui entourent l'embouchure de la Lézarde, non loin de laquelle s'étagent les premières maisons du bourg. Ils ne pensaient qu'au pitt' où ils allaient passer une bonne partie de la journée avant d'aller fêter leurs victoires dans un débit de boissons qui portait le nom de Rendez-vous des amis. Or, il se trouva qu'un samedi où pour la huitième fois consécutive Kou Pliché avait gagné et empli les poches de Romulus d'une petite montagne de billets sales, le propriétaire du dernier coq perdant, mauvais coucheur et d'ailleurs pris de boisson, accusa Romulus de *kimbwa*. Il s'ensuivit une querelle confuse au cours de laquelle quelqu'un porta à Romulus de mauvais coups de coutelas. Il perdit la vie sur l'heure.

Si Hosannah manqua mourir, ce deuxième terrible coup du sort marqua le commencement de la fin pour Djéré. Il quitta l'école où il traînait encore bon dernier, le calvaire de ses maîtres, et refusant de chercher du travail s'enferma dans sa chambre. Ce fut à cette époque qu'il commença de rédiger les Cahiers de Djéré, en s'aidant de ses souvenirs réels et imaginaires et de ce que lui avait appris Romulus. Un matin d'octobre, les gens du morne Verdol le virent sortir de chez lui avec la mine d'un déterré. Il se dirigea vers la librairie-papeterie Fessoneau, acheta de l'encre, du papier et des plumes sergent-major. De ce jour, enfermé du matin au soir, il griffonna sur des cahiers d'écolier. Il n'obéissait à aucune ambition, à aucun désir précis. Simplement, quand il se replongeait dans le court passé qu'il avait connu auprès de son père et le couchait en écriture, il se sentait mieux, libéré de ces envies qui un jour s'il n'y faisait attention le feraient en finir avec quelqu'un, homme ou femme, il ne savait pas, et se retrouver au fin fond de la geôle. En écrivant, peu à peu, il atteignait un grand calme, un parfait détachement. En même temps, il se rendait quotidiennement à la bibliothèque Lambrianne. Là, il lisait des livres dont aucune main n'avait encore coupé les pages, feuilletait attentivement les rares journaux et magazines où il était fait mention de l'Afrique. Mais il ne vit rien concernant son père.

En ce temps-là, Djéré ne touchait pas à l'alcool. Pourtant, au sortir de la bibliothèque, il passait des heures à L'Ancre rouge, un bar du quartier des Quais, assez mal famé, un peu bordel. Il aimait ce désordre, cette agitation : roulement des carrioles aux roues cerclées de fer sur les pavés de la rue, hennissements des chevaux, cris des marchandes de cocos, de corossols, d'oranges venant du marché Saint-Antoine, beuglements des ivrognes. L'Ancre rouge était resserré entre deux magasins de békés où s'entassaient des boucauts de morue de Saint-Pierre-et-Miquelon et des caisses de savon de Marseille. Les bœufs de Porto Rico qu'on déchargeait à grands coups de fouet des navires mugissaient à fendre l'âme. La mine triste et fermée, des *koulis* étiques qui avaient demandé leur rapatriement montaient à bord des vapeurs.

Un après-midi qu'il se trouvait là, assis à sa place habituelle, quelqu'un essuya le comptoir devant lui d'un coup de torchon et demanda d'une voix fluette :

– Qu'est-ce que monsieur prendra?

Djéré releva la tête. Jusqu'alors, tout à ses préoccupations paternelles, il n'avait jamais jeté les yeux sur une personne du sexe féminin et ce qu'il portait entre ses cuisses ne lui avait jamais causé de tourments – or il avait déjà vingt ans passés. La fille qu'il regardait à présent ne devait pas avoir plus de treize, quatorze ans. Négresse noire, les dents de perle et des yeux à faire trébucher un curé, Cyprienne aidait sa mère aux ménages de L'Ancre rouge et quand il y avait foule, malgré sa défense, servait les clients. Personne ne l'appelait par son prénom. Prévoyant ce qu'elle allait devenir quand elle serait en âge, proie de choix pour les hommes sans conscience, on l'avait surnommée Tantô-Tantô!

Djéré, lui, n'attendit pas. Le soir même, il suivit la mère et la fille jusqu'à leur domicile. Le hasard voulut qu'elles habitent à deux pas de chez lui, dans une bicoque qui prenait l'eau de toutes parts et où piaillaient cinq autres frères et sœurs.

On ne sait rien de la manière dont débutèrent les amours de Djéré et de Cyprienne. Que dit-il, que fit-il à celle qui n'était encore qu'une enfant pour la séduire et la garder? Que promit-il à la mère que l'on disait, malgré sa misère, respectueuse des commandements de Dieu et de l'Église et soucieuse de la bonne conduite de ses filles?

Toujours est-il qu'un mois de mars 1917 Cyprienne monta le morne d'un pas décidé, un panier caraïbe sur la tête. Les gens se scandalisèrent. Est-ce qu'on ne l'avait pas vue faire sa Renonce l'année précédente, tout de blanc vêtue, les mains jointes sur un cierge en chantant qu'elle allait vivre comme une bonne chrétienne?

Qu'importe ce que pensaient les gens! Ce fut l'époque de bonheur de Djéré. On entendit le son de sa voix. On vit la blancheur de ses dents.

Il donna le bonjour à ses voisins. Même, le 28 avril, jour de son anniversaire, il offrit à Hosannah qui en pleura toute la journée un bouquet d'arums agrémenté d'une branche de mousseline. Bientôt, on vit pousser un ventre à l'enfant Cyprienne. Mais le bon Dieu ne permet pas qu'on force le corps d'une petite fille, qu'on le pénètre avant l'heure, qu'on prenne du plaisir avec lui et qu'on y plante un fils. Hosannah eut beau préparer des infusions de bellamy *sèmèn kontra* et herbe à chien, piler des graines de cérulée et les rouler dans la chandelle pour faire des cataplasmes, dès son quatrième mois de grossesse Cyprienne dut se coucher dans un lit de l'hôpital général. Là, les médecins eurent beau à leur tour la maintenir au repos, lui faire avaler des potions si amères que ses yeux s'emplissaient d'une eau brûlante et trois fois par jour la crucifier avec des piqûres intraveineuses, son corps peu formé, dans des flots de sang, refusait la charge qu'on lui imposait. Djéré, éperdu, appuyait ses lèvres sur sa bouche écailleuse en la suppliant de ne pas le quitter.

Malgré cela, un 15 août, jour de l'Assomption de la Vierge, dans le devant-jour sans couleur, Cyprienne expulsa de son ventre un garçon que médecin et sage-femme oublièrent parmi des linges souillés, tout occupés qu'ils étaient à tenter de sauver la mère. La mort de Cyprienne fut le troisième grand drame de l'existence de Djéré. Après cela, il fit connaissance avec le rhum et aussi la mauvaise absinthe et, bientôt, ne mérita plus le nom d'homme. C'est ainsi qu'il ne sentit même pas le cyclone de 1928. On raconte qu'il rentra saoul comme à l'accoutumée, se coucha sur sa *kabann* et se réveilla le lendemain au milieu des décombres d'une partie de la maison, feuilles de tôle, poutres, débris de verre, vêtements éparpillés dans le jardin, citronnier déraciné, demandant avec stupeur :

— *Siklón — la ja pasé?* *

Pourtant, s'il avait continué à fréquenter la bibliothèque Lambrianne comme il le faisait du vivant de Romulus et de Cyprienne, il aurait eu entre les mains un numéro de *La Dépêche africaine* qui l'aurait informé sur son demi-frère Ouanilo. Devenu avocat, avec deux autres Dahoméens, celui-ci avait fondé à Paris la Ligue universelle de défense de la race noire.

Malheureusement, les pages de ce numéro du mois de mars 1928 ne devaient être parcourues que des années plus tard par un jeune métro, professeur d'histoire au lycée Carnot.

Pendant près de vingt ans, Hosannah, quant à elle, devait encore vivre et subvenir aux besoins d'un homme tombé en enfance par le rhum et d'un véritable enfant.

Parfois, tout gâteux qu'il était, Djéré relisait ses Cahiers en s'arrêtant toujours au même endroit.

---

* Le cyclone a déjà passé?

Les cahiers de Djéré

numéro un

Les origines

La forêt secoue son feuillage et souffle : « Je
suis la plus vieille. »

Et c'est vrai qu'elle a toujours été là, la forêt.
Les Vieux disent qu'au temps où l'homme n'était
pas plus qu'une raclure grise, tout juste bonne à
gigoter sur le bord dur et gris de l'océan, elle
était déjà là. Quand tous les morceaux de la terre
étaient attachés bout à bout les uns par les autres,
elle était déjà là. Elle se campait sur ses pieds
calleux d'éléphantiasis et de chancres, elle accrochait aux touffes emmêlées de sa tignasse des
barrettes de fleurs écarlates. Elle cognait le ciel
et arrêtait la lumière du soleil ou de la lune. La
forêt est forteresse. Derrière ses murailles, elle
emprisonne les perroquets macaw à tête de plumes
rouges et bleues, les oiseaux quetzal qui mettent
le feu aux branches, les singes hurleurs suspendus
tête en bas par la liane de leurs queues, les
macaques à poil vieilli d'Anciens, les gorilles à
figures barbouillées de noir, les éléphants pachy-
dermes et les papillons qui froufroutent en volant
yeux grands ouverts dans la noirceur. Entre les

doigts de ses pieds-pieuvres qui serpentent pour sucer la boue grasse sous les feuilles et les racines, la tarentule et l'iguane guettent le crapaud peint en rouge frais et la fourmi folle qui ne dort jamais. La forêt est labyrinthe. Le python vert et le serpent-chat y perdent leur chemin.

Mais tous ont peur d'Agasu, la panthère.

Les Vieux disent que si la forêt hisse ses troncs jusque là-haut, c'est pour respirer l'oxygène bleu qui souffle depuis l'océan. Plus bas, dans l'odeur de sueur fétide de ses aisselles, germent les broméliacées où les têtards solidifient la glaire de leurs corps.

Dans la forêt, il n'y a pas de saison sèche. L'eau est partout. Elle tombe d'en haut, elle flotte dans l'air, elle clapote sur la terre où les larves pullulent. Les crabes accrochent leurs nids dans les branches et les poissons piranhas nagent entre les pieds des arbres en broyant les fruits rouges du *sarawak.*

Un jour la forêt a écarté ses cuisses.

Et une à une, une à une, les cases rondes avec leurs toits de paille sont tombées de son ventre et les hommes ont brandi leurs sagaies pour aller chasser l'éléphant ou l'okapi tandis que les femmes allumaient le feu entre trois pierres et donnaient aux enfants le lait de leurs seins.

Ce fut le premier village des Aladahonu.

La forêt donne à chacun pour se nourrir. Le miel des abeilles, le nectar des orchidées, le fruit dur de l'avocat sauvage, la chair des chenilles et celle de l'agouti.

Quand après neuf mois, une semaine et trois jours, Posu Adewene décida de quitter l'eau du ventre de sa mère et de rejoindre les autres humains, la forêt avait perdu sa voix. Ce soir-là, pas un vroum-vroum de moustiques ou de chauves-souris, vampires qui cherchent le sang pour le boire. Pas un fuit-fuit d'oiseau fou pillant le suc du pollen, pas un craak-raak de toucan enroué par son bec. Pas un pas furtif d'antilope royale foulant le tapis végétal. Agasu la panthère rôdait dans la noirceur.

Cependant si les hommes se serraient dans les cases, ce n'était pas par peur d'Agasu la panthère. C'est que la reine avait deux fois de suite déjà accouché du corps mort d'un garçon qu'on avait dû mettre à pourrir dans le fin fond de la terre. Cependant cette fois, quand la sage-femme ramassa le paquet de chair baignant dans le sang frais et vit le coquillage fendu sous le nombril, elle fit contente :

— Celle-là va rester. C'est une fille!

Posu Adewene haussa la tête vers la lumière du soleil comme la liane de passiflore ou celle du philodendron. A quatorze ans, elle avait la mine d'un jeune bananier sauvage. Dans son sourire, ses yeux et ses dents brillaient comme le lait du caoutchouc. Ses seins rebondis dansaient devant elle et les Vieux disaient à son père de ne la donner qu'à celui qui tirerait la première flèche mortelle contre l'éléphant. Mais son sang n'avait pas encore coulé entre ses cuisses et son père riait seulement...

Un jour, Posu Adewene partit chercher des escargots et des champignons pour la sauce de la femme de son père. A quelques mètres du village, les chasseurs étaient assis en rond autour d'une antilope royale qu'ils venaient de dépecer. Ils se racontaient leur combat avec l'animal et les mouches tourbillonnaient autour de leurs têtes. A la vue de Posu Adewene, ils se mirent à chanter un chant d'admiration, mais elle passa fière sans les regarder, car elle n'aimait pas cette mauvaise odeur d'entrailles et de sang fumant.

Agasu la panthère avait le ventre plein.

Pendant des jours, elle n'avait trouvé ni singes ni capybaras ni daims ni lézards ni oiseaux ni pécaris, mais descendant le lit de la rivière elle avait fait bombance et broyé entre ses crocs féroces la chair des poissons et des tortues qui nageaient parmi la vase et le limon. Elle venait de s'allonger sur un tapis de feuilles de *mongongo* quand, entre les troncs massifs, elle vit s'avancer Posu Adewene, sautant d'un pied sur l'autre, son panier sur la tête. Aussitôt tout son sang la brûla. Sa langue écarlate sortit de sa gueule. Ses yeux s'emplirent d'eau de feu, elle se dressa sur ses pattes de derrière en poussant des râles qu'elle ne pouvait pas contrôler. Ces râles, Posu Adewene les entendit elle aussi. Elle s'arrêta, regarda de droite et de gauche, et vit la robe tachetée.

Posu Adewene n'ignorait rien de la panthère. Souvent le soir, les chasseurs parlaient en baissant la voix de sa férocité et de sa cruauté. Dans son esprit, elle lui donnait la laideur de l'orang-outang noir et velu comme une caricature d'homme. Elle ne s'attendait pas à tant de beauté et resta saisie, sans même penser à prendre ses jambes à son cou. Même l'énorme sexe écarlate dressé lui sembla une fleur barbare.

Agasu et Posu Adewene restèrent à se fixer les yeux dans les yeux, la forêt retenant sa voix autour d'eux, puis Agasu bondit en avant.

C'est ainsi que fut conçu mon aïeul Tengisu, le fondateur de notre dynastie.

Neuf mois plus tard en effet, jour pour jour, Posu Adewene accoucha d'un garçon difforme, monstrueux, avec la peau tachetée et les ongles cruels de son père; on dit que la sage-femme qui le mit au monde ne put se retenir d'exprimer sa terreur et fut décapitée sur-le-champ. Par la suite, ceux qui le virent se gardèrent bien de montrer leurs sentiments par peur de connaître le même sort.

Tengisu fut toujours le préféré du cœur de sa mère, qui le plaça au-dessus de tous ses autres enfants.

Quand mon père m'asseyait sur son genou et me racontait cette histoire, elle ne me semblait pas du tout irrationnelle. Il parlait calmement, gravement, ses yeux fixes et brillants me subjuguant de leur flamme. Ce conte cruel, je l'acceptais pour vérité. Il ne me semblait pas plus déconcertant que l'histoire d'Adam et Ève que j'apprenais en même temps de la reine Fadjo. Moi aussi, je me perdais dans le labyrinthe de la forêt. Je me couchais entre les pattes des arbres et les ailes poudreuses des grandes chauves-souris carnivores caressaient ma figure. La noirceur n'en

finissait pas d'être noire et j'entendais la dégrin-
golade des singes invisibles depuis la voûte des
arbres jusqu'au sol spongieux. Quand enfin je
retrouvais mon chemin, je me blottissais contre
l'épaule de mon père en souhaitant que ce temps
ne finisse jamais, comme si je sentais que j'allais
bientôt le perdre et que je ne serais plus pour
personne le fils de la Panthère.

Spéro s'aperçut qu'il s'était endormi d'un premier sommeil, poreux aux bruits, propice aux rêves sans signification, l'écharde du soleil fichée dans son œil gauche. Qu'allait-il faire? Puisqu'il ne pleuvait pas encore, pourquoi n'irait-il pas courir jusqu'au « marais de l'Indien »?

On appelait ainsi le mitan de l'île, là où la terre, déjà plate comme la main, se creusait en entonnoir qu'une eau saumâtre envahissait. Sous les arbres denses comme ceux d'une forêt, des arbustes au feuillage aussi serré que celui des *banglins* poussaient les pieds dans la vase. L'histoire ou la légende voulaient qu'à cet endroit précis, en 1675, une poignée de soldats-soudards anglais aient massacré jusqu'au dernier les hommes d'une tribu d'Indiens kiawah. Ensuite, ils avaient fait main basse sur leurs femmes. Comme, même dans leur au-delà, ces malheureuses ne pouvaient effacer de leur esprit les outrages qu'elles avaient subis, à toute heure du jour et de la nuit, on pouvait les entendre se révolter dans la voix du vent. On disait aussi qu'elles attiraient les passants égarés pour se venger sur eux de toutes les humiliations du passé. Et c'est vrai qu'on avait retrouvé des corps mutilés dans la boue. Après la tombée du soleil, personne ne courait dans les abords du « marais de l'Indien ».

Curieusement, Spéro aimait cet endroit désolé qui lui remettait en mémoire des images des films en technicolor qu'il avait vus dans son enfance quand Maxo et lui pratiquaient la resquille au cinéma-théâtre La Renaissance. Indiens chevauchant à travers les rivières. Nègres en fuite pataugeant dans des marais. L'Amérique, c'était aussi cela : des images de l'enfance. Une fois dehors, il inspecta le ciel. Il ne pleuvrait pas avant des heures. Il descendit les marches de la *piazza,* marcha d'un bon pas jusqu'à la barrière grinçante qui marquait la limite de la propriété, puis se mit à courir, coudes au corps. D'autres joggeurs profitant du repos du dimanche avaient envahi les chemins et les sentiers de l'île, et c'étaient des files d'hommes et de femmes les traits tendus dans le même effort qui couraient on ne savait vers quoi.

A cette heure-ci, le service devait se terminer à l'église baptiste de Samarie dans un dernier désordre des cymbales et des tambourins, avant que les fidèles ne se retirent moroses à l'idée de retrouver la quotidienneté de l'existence. Depuis que Paule prêchait, tous ceux qui un temps avaient boudé l'église pour des sectes plus spectaculaires et attrayantes étaient revenus. Spéro lui-même qui depuis belle lurette ne mettait plus les pieds à l'église venait parfois l'écouter. Pécheresse, elle savait parler du péché. Et du remords, et de l'angoisse, et de la terreur de la punition. La première fois qu'elle avait fait l'amour avec Spéro, elle avait pleuré et il avait bien senti que ses larmes étaient sincères. Lui-même n'éprouvait guère de remords, convaincu que Debbie savait parfaitement ce qui se passait derrière son dos et d'une certaine manière l'encourageait. Un dimanche qu'il l'avait accompagnée après le service avec Paule chez Agnès Jackson, elle les avait regardés dans le blanc des yeux en leur demandant s'ils n'avaient rien de mieux à faire de leur après-midi.

Spéro aimait beaucoup Agnès Jackson qui gardait dans les radotages décousus de sa vieillesse un sens de la plaisanterie et de l'humour dont manquait cruellement Charleston. Il adorait l'entendre parler de sa famille. S'il avait été Debbie, c'est là-dessus qu'il l'aurait interrogée et non sur toutes ces célébrités qu'elle prétendait avoir côtoyées.

Le 24 mars 1810, le docteur James Hill avait posé la main droite sur la Bible et juré devant le tribunal de Saint-Paul, district de Charleston, que James Earl Jackson, serrurier de son état, qu'il avait mis au monde vingt-huit ans plus tôt par forceps, causant ainsi la mort de sa mère, était un blanc. A ce titre, il devait donc jouir de tous les privilèges que la loi accorde à cette qualité d'individus.

Quatre ans plus tard, à la suite d'on ne sait quels événements, le jugement du tribunal de Saint-Paul avait été invalidé et James Earl déclaré mulâtre.

Il fit appel. Pendant trois ans, des témoins défilèrent à la barre pour protester que la race d'un homme ne se juge pas seulement à la couleur de sa peau, mais surtout à sa réputation et à la

manière dont il se conduit dans sa société. Rien
n'y fit. Mulâtre James Earl fut déclaré. Mulâtre
il resta malgré les trois esclaves de son échoppe
de serrurerie, condamné à payer l'impôt par tête.
La famille Jackson ne se remit jamais de cette
incursion dans le monde interdit de la blancheur.
Cela laissa une trace de folie dans les esprits de
tous ses membres, un déséquilibre plus ou moins
prononcé selon les individus et leurs tempéra-
ments. La folie d'Agnès consistait en une haine
maladive des blancs. Si claire que l'œil le plus
exercé s'y trompait, elle n'avait à la bouche que
des histoires d'injustices, d'avanies et de brutalités
policières dont elle aurait été victime à cause de
sa couleur, depuis le temps où elle était au lycée
et à travers toute sa carrière de pianiste...

Elle racontait avec un luxe de détails comment
elle s'était convertie au communisme après une
rencontre à Paris avec Aragon qui lui aurait écrit
un poème au dos d'un menu.

Elle affirmait aussi qu'elle avait échangé des
idées avec le beau ténébreux Jacques Roumain
qui venait de fonder le Parti communiste d'Haïti
et, persuadé qu'on le suivait partout, portait toujours un chapeau de feutre à large bord pour
cacher sa figure.

Spéro ne croyait pas un mot de ce qu'elle racontait et avait bien compris que les rencontres du
dimanche avec Debbie n'avaient qu'un but : lui
permettre de refaire à sa fantaisie le temps passé
de son existence.

Mais Debbie plaçait un magnétophone devant
la vieille bouche radoteuse, l'accablait de questions, prenait des notes, se donnait toute l'appa-

rence du sérieux. Elle était comme cela, Debbie.
Aucun cliché ne lui paraissait suspect, aucun sté-
réotype trop énorme et, quand elle découvrait la
vérité, elle ne pouvait la regarder en face. Ainsi
l'histoire des nègres en Amérique était une plante
qui poussait dru vers le haut, une épopée édifiante
écrite en noir et en blanc où il n'y avait que des
bourreaux ou des martyrs. Voilà pourquoi elle
avait commencé et brutalement arrêté d'écrire
l'histoire de George, son père.

On appelait George Middleton, « le beau
George » parce qu'on n'avait jamais vu un nez
aussi droit à un nègre. Ses admiratrices passaient
et repassaient sur le trottoir de l'échoppe de barbier de Meeting Street qui avait appartenu à son
aïeul, puis à la famille de son arrière-grand-père
et où son père, puis lui, devenus maîtres d'école,
ne mettaient plus les pieds qu'en clients. A plus
de 50 ans, George avait fait la connaissance de
Martin Luther King Jr et s'était mis à le suivre
dans tous ses rallyes. C'est ainsi qu'il avait trouvé
la mort à Stokane, petite ville poussiéreuse et sans
histoire qui s'apprêtait elle aussi à boycotter ses
autobus.

Quand elle l'avait vu raide, paré pour l'éternité, Debbie, qui l'avait idolâtré, s'était donné
pour mission de perpétuer son souvenir. Or quand
elle avait commencé à interroger les gens, les
mêmes gens qui l'avaient suivi en pleurant jusqu'à
sa tombe au cimetière d'Orange qui venait d'être
déségrégué afin que blancs et noirs puissent passer côte à côte leur temps d'éternité, elle en avait
appris de bien étranges! Ceux qui avaient été ses
élèves à Sea Gull Island, une des îles — les plus

déshéritées de toutes les déshéritées – qui s'allongent au large de la Caroline du Sud, se souvenaient encore de ce jeune maître qui leur bottait le cul et qui dans ses fréquentes colères les traitait de bons à rien de nègres. Certains allèrent jusqu'à suggérer que son beau souci pour la race n'était pas né d'une rencontre avec Martin Luther King Jr qu'il n'avait jamais vu en chair et en os, mais d'un jour d'avril 1960 où, pris d'un besoin pressant, il s'était soulagé dans les toilettes pour blancs de Woolworth sur Line Street. Ayant été surpris, il avait été battu comme plâtre et jeté à la rue, tout George Middleton qu'il était. Était-ce là le héros qu'elle s'apprêtait à immortaliser? De découragement, Debbie avait rangé sa machine à écrire. Elle avait besoin d'admirer, Debbie. L'admiration, c'était sa religion.

Spéro avait mis du temps à s'apercevoir qu'en fin de compte elle le méprisait. Il la croyait heureuse, lui donnant de la tendresse le jour, du plaisir la nuit. De quoi rêver en toute saison avec cette histoire d'ancêtre royal et les Cahiers de Djéré qu'elle avait soigneusement retranscrits et qu'un temps elle avait projeté de traduire en anglais. Et puis, peu à peu, la vérité lui était apparue dans une grande douleur au cœur. Sa femme le méprisait.

Pourquoi, bon Dieu?

A force d'y réfléchir, il avait compris. Les raisons étaient diverses et inégales en importance. Ah non! il n'était pas le digne héritier de son royal ancêtre! Il n'avait, quant à lui, aucune ambition. Aucun idéal! Aucun intérêt pour la politique. Ni pour le devenir du monde noir. Et puis, il écorchait l'anglais. Il venait d'un pays perdu que personne ne savait placer sur une carte. Il n'aimait pas les tartes à la citrouille. Du 1er janvier au 31 décembre, ses tableaux s'ennuyaient à mourir, suspendus aux cimaises de son atelier. Pas un acheteur. Pas un collectionneur.

Pourtant sur ce dernier point, la vraie coupable, c'était peut-être elle, car il lui avait obéi et avait imposé le silence à ses goûts profonds. C'était évident! Il n'était pas fait pour ces huiles symboliques et signifiantes qu'elle l'encourageait à peindre. Son domaine à lui, c'était celui de la peinture à l'eau. Les jeux de la lumière, de l'air, du soleil. Il gardait dans des cartables comme des secrets honteux la série d'aquarelles de Charleston qu'il avait réalisées, le cœur et les yeux en fête. *Drayton Hall, La Citadelle, Le Marché aux esclaves, Promenade le long de l'East Bay.* Ce n'était pas sa faute si c'est cela qui attirait son pinceau! Maisons coloniales avec leurs façades de pierre usée par le grand âge. Jardins débordant d'azalées et de rhododendrons. Cyprès festonnés de mousse espagnole.

Au début de son installation, Spéro était tombé en amour pour Charleston. Il n'avait jamais imaginé de villes pareilles à celle-là. Même s'il aimait La Pointe, comme on aime sa mère et les figures connues depuis l'enfance, il voyait bien que ce n'était qu'un ancien point de traite, un endroit pour entreposer et vendre des marchandises avec le seul souci du profit. Lille et Paris lui avaient été trop hostiles pour qu'il les enjolive de quelque charme. Au contraire, ces deux lieux de la terre s'associaient dans sa mémoire à des temps de solitude, de pauvreté, d'humiliations de toutes sortes dues à sa couleur, car souvent les gens le prenaient pour un Arabe et ne lui ménageaient pas les avanies.

Un soir, dans un bar du quartier de la Tourelle à Lille, un serveur lui refusa la bière qu'il demandait avec timidité. Quand il s'approcha du comptoir pour se faire entendre, un molosse surgit qui faillit bien le mettre en pièces.

Rien ne l'avait préparé à sa rencontre avec Charleston. Saisi, il découvrit la beauté de la pierre quand elle se marie à celle des fleurs, des arbres disposés en harmonie par la main des hommes. Il ne se lassait jamais de parcourir l'enchevêtrement des rues du centre, tenté à chaque pas de sortir son carnet et de croquer une façade, un détail d'architecture, un monument. Il allait et venait le long de la mer qui sertissait la ville comme un velours d'orfèvre. Mais il s'aperçut bien vite que ce goût pour Charleston blessait et impatientait Debbie. Pour elle, cette séduction-là reposait sur l'exploitation et l'asservissement des siens. Si Charleston se parait de l'aristocratie et de la grâce que l'on confère aux Belles du Sud, c'était parce qu'elle ne s'était jamais usé les mains à de dures besognes. Qu'elle n'avait jamais fait que se pomponner pour la danse et le bal quand d'autres assistaient à ses caprices. Le vieux marché aux esclaves était la figure d'un passé qu'aucun noir ne devait oublier. Elle lui raconta la visite que W. Du Bois avait rendue à Charleston quand il avait refusé d'admirer les réalisations des esclavagistes, mais avait exhorté ses frères à bâtir leur Charleston à eux.

Spéro aimait aussi à peindre les visages d'enfants. Il avait peint celui de sa fille à tous les âges.
Depuis le temps qu'elle était un bébé que Debbie
mettait à gazouiller sous les arbres du parc jusqu'à
ses années d'adolescence.

A peine étaient-ils installés à Crocker Island,
qu'elle lui avait demandé de préparer une exposition pour marquer son irruption dans le monde
pictural américain. Cette exposition se tiendrait
Chez Marcus, une petite galerie-librairie de Market Street qui était le cœur littéraire et artistique
du tout-Charleston noir. On y avait accueilli entre
autres W. Du Bois, James Baldwin, le pasteur
Ralph Abernathy qui avait succédé à Martin
Luther King Jr, l'historien Nathan Huggins et
d'autres hôtes illustres dont les photographies
dédicacées tapissaient les murs. Spéro avait aussitôt secoué cette tendance à l'indolence (Marisia
disait tout crûment fainéantise) héritée de Justin
et avait travaillé comme un forçat. Il s'était inspiré
– sans jamais les copier purement et simplement
– des maîtres chers à Debbie et avait produit en
un temps record trente-six toiles. Oui, trente-six!
Il était assez fier d'une composition intitulée *New
York,* inspirée d'un poème de Léopold Sédar
Senghor, lui aussi cher au cœur de Debbie. Cela
représentait une rue étroite entre les jambes
d'acier bleu des gratte-ciel, sur laquelle tombaient
des flocons de neige en forme de séraphins ailés.
Au beau milieu de l'asphalte blanchi, était étendu
le corps d'un jeune noir baignant dans une mare
de sang qui s'enfonçait dans les profondeurs de
la terre, où elle nourrissait les racines d'un arbre

aux branches rongées de lianes et d'épiphytes, dont la tête venait caresser celles des gratte-ciel.

Les invités, pour la plupart amis de la famille Middleton et qui connaissaient sur le bout des doigts l'arbre généalogique de Debbie, étaient venus nombreux. Ils avaient vidé jusqu'à la dernière goutte le vin blanc de Californie et dévoré jusqu'au dernier les cubes de fromage qu'on leur avait offerts. Ils n'avaient pas été avares non plus de paroles admiratives puisqu'un professeur d'histoire de l'art avait comparé *New York* à une toile de Frida Kahlo. Pourtant, ils n'avaient rien acheté et le *Black Sentinel of Charleston* qui depuis 1840 informait la communauté noire des événements dignes de retenir son attention n'avait pas consacré une seule petite ligne à l'exposition. Debbie en avait été chagrinée. Pendant des semaines, le front barré de grands plis, même si elle ne prononçait pas une seule parole à ce sujet, Spéro l'entendait téléphoner au chroniqueur artistique du journal qui comme par hasard était toujours absent.

C'est peu après ce fiasco cependant que, sans se décourager, elle avait loué à bail pour une petite fortune l'atelier de Meeting Street. Personne n'y entrait jamais. Spéro y passait la journée parce qu'il ne savait trop où aller autrement. Quand il était fatigué d'y caresser la toile du pinceau ou carrément de boire du vent, il s'en allait respirer l'odeur de saumure de la mer et regarder les touristes faire leur petit tour du quartier historique en cherchant les souvenirs de l'esclavage et de la guerre civile en carriole à cheval. A 5 heures, il s'asseyait au volant de sa vieille

Volvo verte et s'en allait vider quelques verres au Montego Bay, un piano-bar de Lime Street.

Le Montego Bay était un assez étrange endroit. Noir comme un tombeau, au point que les habitués y cherchaient leur table à tâtons et qu'il n'était pas rare que les nouveaux venus se payent une bonne chute en dégringolant de quelques marches traîtresses. L'endroit était plutôt mal fréquenté. Les habitués étaient les maquereaux noirs, bâtis comme des joueurs de base-ball, les poches bourrées de dollars nauséabonds et rapiécés, les pulpeuses prostituées noires identiquement coiffées de perruques dont les cheveux flottant à mi-dos les consolaient de la paille en friche de leurs têtes et qui se réchauffaient le gosier entre deux clients, ainsi que toute une flopée de femmes en quête d'aventures faciles qui les sauveraient de l'ennui de l'existence tout en arrondissant leurs fins de mois. Il y avait aussi quelques jeunes truands noirs fumant sans se cacher d'épais cigares de marijuana tout en préparant un mauvais coup et des chômeurs qui trouvant la vie longue la raccourcissaient dans l'alcool et le vacarme du rythm blues. Sur tout ce monde, Linton, le patron, promenait son regard perçant et fouineur, à moitié caché sous la chair des paupières plissées pour se protéger de la fumée d'une éternelle cigarette au coin de la bouche.

Linton était le seul ami de Spéro, un Jamaïcain d'origine, grandi à Cuba, émigré à Montréal avant d'échouer à Charleston, ce qui fait qu'il parlait trois langues à la perfection. Linton s'était d'abord taillé un petit renom en soufflant dans un saxophone. Des photos qui ornaient le Montego Bay le montraient en habit à revers de soie, les cheveux gominés au centre d'une imposante formation. On ne sait pourquoi il avait abandonné la musique et, dans les années 70, il s'était amené à Charleston. Les gens de Charleston n'aiment pas les étrangers. Aussi, ils s'étaient posé des questions. Pour les uns, Linton était un trafiquant de drogue secrètement lié à tous les mauvais coups dont parlaient les journaux. Pour d'autres, un activiste anticastriste, en relation avec les Cubains de Miami. Pour d'autres enfin, un séducteur de petites filles. A plusieurs reprises, Debbie s'était permis de faire observer à Spéro que ce n'était pas une personne à fréquenter. Mais Spéro, qui d'habitude lui obéissait à la baguette, résistait, car Linton était comme lui raté et étranger. Et pas n'importe quel étranger! Antillais! Car de loin, Cuba, Jamaïque, Guadeloupe, c'est pareil et solidaire comme les dents d'un peigne!

Spéro et Linton buvaient ensemble et dans les fumées du rhum Barbancourt que Linton faisait venir par cartons entiers d'un grossiste haïtien de Brooklyn, ils ressassaient leur peu de goût pour l'Amérique. Parfois, Linton prenait son saxo et la noirceur du Montego Bay devenait moins noire. Des rognures d'étoiles allumaient leur éclat à côté des ampoules à lueur chiche et les clients, même les plus désabusés, s'arrêtaient de boire, de se chamailler, de raconter des bobards pour se tourner vers l'endroit d'où venait la parole magique. Pendant un moment, Spéro lui-même oubliait qui il était et se croyait redevenu un fils de panthère.

Quand Linton déposait son instrument cependant, il redevenait lui-même. Eh non! il n'avait rien à signaler pour sortir de l'anonymat. C'était lui, seulement lui, que Debbie avait épousé, lui et pas l'ancêtre. Alors, il reprenait la route de Crocker Island, juste à temps pour le dernier ferry. A perte de vue, l'eau clapotait noire et un vieux nègre, perdu d'alcool lui aussi, lui racontait sa vie triste comme une chanson de Lena Horne. Spéro se rappelait ce bref temps qu'il avait vécu à la Guadeloupe avec Debbie et il lui semblait que cela avait été leurs seuls jours de bonheur. Il comprenait à présent que la Debbie qu'il avait connue et aimée alors n'avait pas de réalité. Celle-là avait soudain découvert une sorte de liberté. Au morne Verdol, pas d'interminables rappels des crimes de Jim Crow. Pas de tirades à n'en plus finir sur la méchanceté des blancs et de considérations sur toutes les belles choses qu'à cause d'eux, les noirs ne pouvaient faire. Au morne Verdol, on allait pauvre et exploité certes, mais quand même le cœur content. Tandis que Justin ressassait ses bêtises et que Marisia, la bouche pleine d'épingles, essayait des patrons à ses clientes, Maxo vantait les exploits de La Gauloise, l'équipe de football dont il faisait partie. Lionel qui venait de trouver un emploi au Jardin d'Essais de Tanbou ne parlait que de ses orchidées et de la géographie compliquée et légèrement obscène des labelles, des anthères, des claudicules, des rétinacles et des rotelles. Tous les samedis, Spéro emmenait Debbie danser dans les *koré varé* du Bas-de-la-Voûte et pressait son ventre brûlant contre le sien. De retour à Charleston, elle avait retrouvé la prison de la race. Elle était redevenue la fille de George Middleton, présumé martyr.

Le pire, c'est qu'elle avait communiqué son mépris pour Spéro à leur enfant. Anita n'avait jamais demandé à Spéro si la pleine lune accouche de lapins ou si l'arc-en-ciel du matin amène le chagrin et celui du soir l'espoir. Quand il l'attirait contre lui pour la manger de baisers, elle se prêtait à ces démonstrations avec une bienveillance polie. Comme sa mère en fait, à travers lui, elle ne s'intéressait qu'à l'ancêtre. La première fois qu'elle l'avait interrogé sur tout ce passé, il était resté saisi. A sept ans, voilà qu'elle connaissait le nom de chaque combat que l'ancêtre avait mené contre les Français, le détail de sa longue traque dans la brousse, protégé par la ferveur des paysans, plus une série de faits qu'il ignorait luimême et qu'elle avait appris avec sa mère dans les livres des historiens américains de Yale. Elle dessinait d'imagination le palais royal, ses basreliefs, sa ceinture d'orangers et de palmiers. En fin de compte, plus brave ou plus naïve qu'eux tous, elle ne s'était pas arrêtée là et avait fait le long voyage à rebours.

Spéro décida de rebrousser chemin. Il avait couru plus d'une heure et ne soufflait pas trop. Sinueux comme une vipère, le chemin faisait le tour de l'île et l'enfermait dans sa boucle. Tantôt, il plongeait entre les arbres, tantôt il resurgissait à la lumière et longeait la mer.

A son arrivée à Crocker Island, Spéro n'avait pu s'empêcher de penser à l'ancêtre quand, au terme de son voyage sur la mer, il avait débarqué à la Martinique. Il avait dû être terrifié. Quoi! C'est sur cette *krazur* de terre qu'il allait finir son existence? C'est cette poussière qu'il avait échangée contre le vert des forêts encore à moitié vierges, domaine d'Agasu, le brun sombre des lagunes d'eau braque et le jaune des savanes de son royaume?

Aussi, à peine descendu du navire, avait-il commencé à dicter des lettres au président Carnot pour expliquer la grande injustice qui lui était faite et demander son retour chez lui. Chaque mois, le prince Adandejan, qui lui servait de secrétaire, usait douze ramettes de papier Rosseler, dix boîtes d'enveloppes du même fabricant et des douzaines de bouteilles d'encre bleue des mers du Sud, couleur que l'ancêtre affectionnait car elle lui rappelait celle de la mer qu'il avait traversée malgré l'interdiction des dieux et des Anciens.

Hosannah, la mère de Djéré, avait longtemps cru qu'elle aurait une bonne vie. Du temps qu'elle était toute petite, pas plus haute, pas plus grosse qu'une touffe de citronnelle et jouait devant la porte de Mayotte, sa maman, une femme entre deux âges s'arrêta, la regarda et se mit à déparler. Cette femme se nommait Chèchelle la Folle, humble « charbonnière » de profession, mais qui aimait s'asseoir à la tête du lit des mourants pour réciter la prière des agonisants et qui prétendait voir la vérité de demain. On ne l'écoutait guère, bien qu'elle eût prédit le grand incendie de

juin 1890 et le cyclone d'août 1891, car elle avait
mauvaise haleine et empestait son monde en parlant. Elle se levait du chevet de Zéphyrine, une
autre charbonnière qui venait de passer dans sa
quarantième année quand elle vit Hosannah et
du coup, se mit à déparler. Au bruit, Mayotte
sortit à son tour sur le devant de la porte et
Chèchelle la Folle l'apostropha :

— Cette enfant-là, c'est à toi? Et tu la laisses
comme ça jouer dans le dalot? Laisse-moi te dire,
ce n'est pas une négresse ordinaire que tu as mise
sur la terre et ce n'est pas n'importe quelle qualité
de nègre qui un beau jour va monter sur elle! Ah
non! celui-là sort de l'autre côté de l'eau. Son
papa, c'est Panthère. Il ne mange pas. Il ne boit
pas.

Les voisines, qui entendirent ces paroles-là,
n'arrêtèrent pas d'en faire des jeux.

Voilà encore Chèchelle la Folle qui déparlait!
Et comme on était au début de janvier, un conte
sans queue ni tête fit le tour du *lakou*. Hosannah
allait se marier avec Balthazar, celui des Rois
Mages qui porte la myrrhe à l'Enfant Jésus. On
ne finit avec ces stupides plaisanteries-là qu'au
moment où Mayotte, dont on avait toujours craint
la mauvaise langue, se mit à jeter de droite et de
gauche des paroles obscènes. Elle donnait crédit,
quant à elle, aux prédictions de Chèchelle la Folle
et éleva son enfant dans la considération que son
existence ne ressemblerait pas à celle de sa mère,
encore moins à celle de sa grand-mère, qui avait
connu le fouet des blancs. Elle lui donna de la
religion. Chaque dimanche, Hosannah s'age-
nouillait à côté d'elle à même le carreau froid de

la cathédrale et regardait de tous ses yeux les
appliques, les candélabres, les lustres de cristal
cependant que la voix de l'orgue répondait aux
versets des chantres et des enfants de chœur.
Après la messe, la mère et la fille s'asseyaient de
part et d'autre de la table du repas et le souvenir
de la parole de Chèchelle la Folle passait dans
leurs yeux. Trop pauvre pour envoyer Hosannah
à l'école et lui apprendre la lecture ou l'écriture,
Mayotte lui trouva néanmoins un bon emploi.
Hosannah se louait dans une boulangerie de la
rue Isambert qui fabriquait des pains de table dits
ménage, bordeaux, flûtes et marseillais. Elle se
levait dans le devant-jour, se lavait au fût rempli
d'eau de pluie placé derrière la bicoque de
Mayotte, courait prendre sa charge de pain, puis
partait pour la vente. Agile comme un cabri, elle
escaladait les mornes, enjambait les ravines,
détrempée par la pluie, desséchée par le soleil,
toujours sourire sur sa bouche. C'est ainsi qu'un
matin de juin elle porta du pain à de nouvelles
pratiques installées depuis peu dans une villa entre
cour et jardin d'une douzaine de pièces au quartier Bellevue. Cette villa tourmentait la curiosité
des voisins.

Au début de l'année, elle avait été louée à bail
par les services du gouverneur à un avocat mulâtre
qui partait exercer sa profession à Saint-Pierre.
On y avait transporté tout un mobilier : des
consoles, des canapés, des sofas, une table de salle
à manger, une table de jeu, un bureau ministre,
deux buffets dressoirs, le tout sculpté dans le bois
de courbaril, trois lits à bateau en bois de noyer,
une demi-douzaine de lits à colonnes coiffés de

grosses boules de bois pour les moustiquaires, des berceuses et des chaises à fond de rotin. En dernière heure, comme si tout cela ne suffisait pas, on avait ajouté un piano Érard tandis que deux gardes habillés de kaki venaient se planter devant la grille fraîchement repeinte en blanc. De ces préparatifs, le quartier conclut qu'on attendait des personnes de qualité, probablement quelque haut fonctionnaire français affecté aux colonies avec sa famille.

Vers le milieu du mois de mars, on vit descendre de trois voitures à cheval deux hommes, l'un jeune encore, l'autre déjà presque un vieux corps, cinq femmes, deux enfants, un garçon et une fille, adolescents farouches qui regardaient avec arrogance autour d'eux. Ce qui frappa tout le monde de saisissement, ce fut la couleur des nouveaux arrivants. Ils étaient noirs, mais noirs! Plus que noirs à la vérité! Bleus! Ils étaient bleus! De mémoire de Martiniquais, on n'avait jamais vu couleur pareille. Le plus âgé des deux hommes intriguait tout particulièrement. Sa figure était pratiquement invisible, car des franges de perles de couleur accrochées au bord inférieur de sa coiffure la cachaient comme un épais rideau. Il était enveloppé d'une sorte de couverture faite d'un tissu bariolé comme une tapisserie. Ses pieds étaient chaussés de larges sandales de forme mauresque avec des broderies d'or sur fond écarlate qui mordaient fortement sur les pavés de la rue. Ses bras étaient chargés de bracelets d'argent. On apprit bientôt que c'était un roi africain très belliqueux qui avait prétendu tenir tête aux Français dans leur entreprise de pacification de l'Afrique et que toutes ces femmes-là lui appartenaient par mariage. On chuchotait que plus d'une centaine d'autres pleuraient son départ au pays et qu'il ne pouvait pas compter le nombre de ses enfants. Au moment de partir en exil, il en avait sélectionné deux, ses favoris.

Certains se déclarèrent choqués de ce voisinage qui offensait les mœurs catholiques; pourtant l'idée d'une pétition au conseil général ne fut pas retenue.

On ne sait pas avec certitude comment le vieillard en vint à s'unir intimement avec Hosannah. Celle-ci ne donna jamais le détail de ces rencontres à personne, même pas à Mayotte. Il semble que ce fut une idée de Fadjo, la première épouse de Panthère.

Depuis qu'il était arrivé à la Martinique, le vieillard était triste. Lui qui naguère était plein de feu et d'humour, ne dédaignant pas à l'occasion de composer des chansons, passait ses journées morose et taciturne. Il regrettait l'absence de ses *bokono* qui chaque jour lui lisaient l'avenir. Aussi le prince Adandejan se mit-il en chasse. Quelques semaines après l'arrivée à Fort-de-France, il entra dans la chambre du vieillard suivi d'un petit homme frêle à peau rougeâtre, les pieds nus et coiffé d'un chapeau, *bakoua*. Cet homme était Zéphyr Marbœuf, le plus grand *gadè dzafè* de l'île. Chaque jour des Morts, il prenait sa vraie forme et pratiquait des enlèvements. On murmurait qu'il était responsable de celui de Marguerite, la négresse savante, survenue quarante ans auparavant à Basse-Terre en Guadeloupe, car il se déplaçait à sa volonté d'une île à l'autre. Zéphyr

Marbœuf dut tendre l'oreille pour entendre la question que lui posait le vieillard :

— Est-ce qu'un jour je vais retrouver mon royaume?

Il scruta l'invisible et ne vit d'abord rien qu'une tombe blanche et nue en désert d'Arabie. Puis ses oreilles entendirent une sonnerie de clairon. Ses yeux se rapetissèrent et il vit une foule considérable en larmes et en deuil sous le soleil. Il comprit et dit :

— Oui! Mais tu seras déjà dans *Kutome!*

En entendant ces paroles, le vieillard éclata en sanglots. Dès lors, il refusa de s'alimenter. Il repoussait la pâte d'igname *pakala,* fraîchement pilée, blanche comme coton; il refusait les sauces au gombo lisses et onctueuses, le *kalalou* tellement pareil à un mets de son pays. Il ne voulait aucun *akras* ni au *titiri,* ni à la cervelle, ni à la morue, ni aux écrevisses, ni aux choux caraïbes, ni aux *pwa zyé nwè.* Les épouses de Panthère sanglotaient en se prosternant devant lui :

— Maître de l'univers! Si tu continues, le soleil va s'éteindre!

La nuit, il ne voulait personne dans sa couche et restait à fumer sa longue pipe jusqu'au moment où les premières lueurs du jour blanchissaient le contour des persiennes.

Souvent, il se rappelait l'incendie d'Abomey.

Donc, un matin de ses 16 ans où Hosannah était venue livrer le pain craquant frais que Ouanilo trempait en mouillettes dans son œuf à la coque, la reine Fadjo tomba nez à nez avec cette beauté. Posu Aduwene ne devait pas avoir les seins plus aigus et la croupe plus rebondie quand elle tenta

Agasu! Pas de doute! Le membre le plus fatigué
et baissant bas se redresserait à sa vue!

La reine Fadjo se renseigna, se convainquit qu'il
s'agissait d'une vierge couvée par sa mère et, par
l'intermédiaire de Ouanilo qui connaissait déjà le
créole, lui offrit un salaire cinq fois supérieur au
franc quotidien qu'elle recevait rue Isambert en
plus d'une miche de pain. Hosannah fut chargée
de servir les repas de l'ancêtre. La première fois
qu'elle entra dans la pièce où il se reposait de jour,
son cœur battait à se rompre. Elle tenait entre ses
mains un plateau chargé de barbadines qui
embaument comme les melons de France, de
pommes-lianes portant encore leurs collerettes de
sépales, de goyaves blanches, de pommes d'acajou
surmontées d'une noix en guise de couronne, de
mangues Amélie au léger parfum de térébenthine
et d'une coupe de vin d'ananas rafraîchi. Le vieillard était à demi allongé sur son trône. Ses yeux
noirs et brillants profondément enfoncés dans
leurs orbites largement ouverts, il rêvait. Il se
revoyait l'année précédente, assis sur la rive du
Tago, après le bain rituel grâce auquel il se
déchargeait annuellement de ses fautes sur un
jeune enfant. Quel bonheur le prenait de sentir
son corps et son esprit régénérés! Il ne savait pas
alors que son temps de règne était compté. Pourquoi est-ce que le malheur arrive sans s'annoncer,
sans jamais battre le tam-tam?

Hosannah posa son plateau par terre, se pros-
terna comme on lui avait appris à le faire et murmura :

— Maître des perles, je suis devant toi!

Là-dessus, elle se releva, laissant le pagne de

coton blanc dont on l'avait vêtue tomber à ses reins et dénuder sa poitrine inviolée. Le vieillard se trouva saisi devant cette apparition surnaturelle. Une sensation qu'il n'avait pas éprouvée depuis longtemps l'embrasa et ce qui n'était plus qu'un amas de membranes molles, de peaux et de chairs flétries se gonfla, tendant fortement l'étoffe de son long caleçon anglais. Il balbutia en langue fon :

— Qui est ton père? Quel nom t'a-t-il donné?

Hosannah eut un petit rire d'incompréhension, rejetant la tête en arrière et découvrant ses dents brillantes enchâssées comme des perles dans sa gencive noire.

Retrouvant sa vigueur de panthère, le vieillard se leva d'un bond et l'attira contre lui.

Quand il la pénétra, Hosannah poussa un cri que la reine Fadjo, l'oreille collée au bois de la porte, entendit avec satisfaction. Ensuite, comme deux certitudes valent mieux qu'une, elle vint inspecter le drap souillé.

Désormais, elle prit Hosannah sous sa protection. Elle lui apprit la liste des noms des rois et les litanies en leur honneur, les règles de succession, les règles d'intronisation, les offrandes, les sacrifices et les interdits. Quand Djéré naquit, elle accapara entièrement le nouveau-né.

Hosannah avait gros cœur. Sa situation était loin de la satisfaire. Était-ce là l'avenir peu ordinaire que Chèchelle la Folle lui avait prédit? Le jour, le vieillard ne s'occupait pas d'elle. Mais, nuit après nuit, il la faisait venir auprès de lui et la possédait comme une bête fauve dans les bois. Ses ongles que nul ne coupait s'enfonçaient dans la chair tendre de son corps, ses dents dans sa gorge et elle devait faire taire des protestations de souffrance. Ses soupirs de jouissance ressemblaient à des feulements. Parfois, il restait debout arc-bouté sur ses jambes comme sur des pattes arrière. Et à cause de ses nuits qui lui étaient torture, les épouses de Panthère la haïssaient. Par peur de leurs poisons, Fadjo ne la laissait porter aucun aliment à sa bouche sans qu'elle l'ait elle-même goûté. Quant aux enfants Ouanilo et Kpotasse, ils la traitaient comme la dernière des servantes, l'obligeant à vider leurs pots de chambre pleins de matières fécales, à charroyer sans fin de l'eau chaude pour les grandes bassines dans lesquelles ils se lavaient. Elle ne voyait plus sa maman qu'une fois le mois quand elle avait son congé. Et Mayotte passait ce temps-là à se plaindre et ronchonner.

Ah oui! Chèchelle la Folle était bien folle! Était-ce là l'avenir brillant qu'elle avait vu pour Hosannah? Dans sa tête, Mayotte s'était imaginé qu'en jupe longue découvrant un pan de jupon brodé, chemise à manches mi-courtes ornée de broderies, collier-chou à quatre rangs serrés autour du cou, *zanno à klou* aux oreilles et *tranblant* fixé au madras, Hosannah monterait l'autel bras dessus bras dessous avec un beau nègre. Ou alors qu'un grand mulâtre, voire un béké, la mettrait dans ses meubles. Cela se voyait tous les jours.

Au lieu de cela, elle portait l'enfant à crédit d'un nègre sorti d'Afrique!

Quand elle prit dans ses bras Djéré nouveau-né, bleu comme *kongo*, rasé *koko sek* et balafré comme un chat tigré par les soins du prince Adandejan, elle pleura toutes les larmes de son corps.

Hosannah refusait d'écouter les paroles sans joie de Mayotte. Elle supportait, supportait et faisait la sourde oreille. Mais quand l'ancêtre partit avec toute sa famille sans même regarder derrière, elle dut bien reconnaître que sa mère avait raison. Le vieillard la laissait sans un centime avec une bouche supplémentaire à nourrir et ses deux yeux pour pleurer. Son cœur apprit la haine. Il lui sembla qu'on avait profité de sa jeunesse sans rien lui donner en échange. Beau Roi Mage en vérité! Roi sans couronne ni héritage! Roi sans cadeaux d'encens ni de myrrhe! Sa haine se portait tout particulièrement contre la reine Fadjo qui l'avait traitée comme sa fille et comme une égale! Est-ce qu'elle ne répétait pas tous les jours que les épouses de Panthère, celles qui donnent naissance aux rois, devaient être des enfants de malheureux comme Hosannah et que sa propre mère n'était qu'une teinturière d'Abomey? Elle-même avait débuté dans la vie comme son apprentie, portant sur sa tête des charges de pagnes, lourdes de plusieurs kilos, qu'elle vendait sur les marchés du royaume.

L'amour de Romulus prit le cœur d'Hosannah par surprise et le fit refleurir comme un jardin après le Carême. C'est avec joie qu'à son bras elle quitta la Martinique où elle n'avait connu que du deuil et vint s'installer sur le morne Verdol. Si elle n'adopta jamais entièrement les Guadeloupéens qu'elle trouva toujours sans manières et malparlants, il lui sembla que le soleil se levait à nouveau sur son existence. Hélas! La mort prématurée de Romulus vint détruire ses fragiles espoirs et, jusqu'à sa mort, elle ne connut plus que la tristesse. Elle plaça ses souvenirs dans une niche secrète de sa mémoire et ne se confia jamais à personne. Quand Justin revint de son service militaire et la pressa de questions, elle refusa catégoriquement de répondre. Hier était hier et ce qui était passé était bien passé. Hosannah quitta notre terre en mars 1936, une des 1 500 victimes de la grande épidémie de typhoïde qui coucha hommes, femmes et petits enfants du nord au sud et de l'est à l'ouest de la Guadeloupe. Les médecins prétendirent que la fièvre avait été apportée par les bœufs de Porto Rico qui dans leur pays avaient bu l'eau de mares empoisonnées. Le gouverneur décida de les faire abattre et ce fut un beau carnage, toute cette viande rouge que l'on jetait par tonnes à la mer quand tant de personnes étaient dans la misère. Les malades affluèrent en si grand nombre à l'hôpital du camp Jacob à Basse-Terre et à l'hôpital général de La Pointe que l'armée fut réquisitionnée pour dresser des tentes sous les tamariniers des Indes.

Les gens furent nombreux à la veillée et à l'enterrement d'Hosannah, car ils trouvaient qu'elle avait du mérite et de l'honnêteté. Même ceux qui l'avaient critiquée de son vivant, à cause de sa trop grande faiblesse pour Djéré et Justin, se mirent à parler d'elle comme d'une sainte.

Justin suivit le corbillard de sa grand-mère les yeux secs. Quant à Djéré, il ne s'aperçut même pas de la disparition de celle qui l'avait mis au monde. Saoul comme à l'accoutumée, il ronflait comme un accordéon sur un banc de la place de la Victoire quand des policiers l'avaient secoué comme un prunier et emmené finir son sommeil à la geôle. Quand, au petit matin, il avait retrouvé

le chemin de sa maison, il s'était étonné de son odeur de fleurs et de chandelles fondues, ainsi que des tentures violettes qui recouvraient les miroirs. Il s'était couché pour dormir encore quarante-huit heures en répétant :
— *Ka ki pasé isi dan ?* *

Spéro tourna la clé dans la serrure, rentra dans la maison et, machinalement, se dirigea vers la cuisine. Quand Debbie partait ainsi pour la journée, elle ne manquait jamais de lui laisser un repas : de la salade, une seule tranche de pain de son, une cuisse de poulet sans colorant ni agent de conservation, un fruit mûri sans produits chimiques. La tranche de poulet était une concession à son solide appétit, car elle-même était devenue végétarienne à la suite d'un rêve fait le jour anniversaire de la mort de sa mère qui l'avait guérie du péché de toucher à la chair. En contemplant ces nourritures anémiques, Spéro avait l'impression de mesurer le tour pris par leur vie conjugale. Peu à peu, Debbie en avait ôté le sel qui donne la saveur, le sucre qui donne la douceur, la graisse, le fondant. Elle n'avait perdu sa peine que sur un point : elle n'était pas parvenue à dégoûter Spéro de l'alcool. Pensez que vingt-six ans plus tôt ils s'étaient connus, aimés dans la ripaille, le boire comme le manger, le plaisir de tous les sens.

* Qu'est-ce qu'il se passe ici ?

Marisia n'était pas mauvaise cuisinière, mais sa main n'égalait pas celle de Sidoine, la marraine de Spéro, qui tenait à Grande-Savane un hôtel à l'enseigne du Grand Gosier. Et puis Marisia n'était pas souriante, presque une porte de prison, tourmentée qu'elle était par sa discorde avec Justin et l'éducation de ses trois garçons. Aussi, les samedis, désertaient-ils la chaleur du morne Verdol pour Grande-Savane et prenaient-ils l'auto-char qui desservait toute la commune de Petit-Bourg, montant poussivement à travers toutes les hauteurs. Ah, ces gueuletons arrosés de punchs après lesquels ils trébuchaient jusqu'à leur couche! Au matin, ni l'oiseau merle raclant son gosier sur la galerie, ni l'indiscrétion du soleil se glissant entre leurs draps n'arrivaient à les réveiller. Au début de leur vie à Crocker Island, avant ce rêve fatidique, Debbie l'emmenait quelquefois chez une de ses tantes qui savait vous cuire un de ces savoureux repas du Sud à l'ancienne. Hélas! tout cela était fini, bien fini. Debbie savait-elle seulement l'importance qu'à cause d'elle la nourriture avait prise? Quand il se rendait chez Linton au Montego Bay, il pouvait se mettre à désirer une femme à cause de sa manière de dévorer des *nachos*. La plupart de ses aventures commençaient par cela : un plat partagé. Tout en mettant sa cuisse de poulet à réchauffer dans le four à micro-ondes, le corps en feu, Spéro se rappela une de ses récentes et plus savoureuses affaires amoureuses. L'année passée, ils n'avaient pu se retenir d'obéir au rituel et s'étaient rendus, Debbie et lui, à New York pour la cérémonie de *graduation* d'Anita. Pendant dix-huit ans, Debbie avait économisé sou par sou

pour assurer à sa fille les meilleures études que le
dollar puisse acheter dans une des meilleures universités que le pays possède. Elle-même, dans le
temps, avait étudié à Spellman, prestigieuse université noire d'Atlanta où les dévoués professeurs
parlaient autant du devoir envers la race que de
sciences ou de littérature. Pourtant sans jamais
vouloir l'admettre publiquement, elle comprenait
bien que ce temps-là était révolu maintenant que
brillait le soleil des *yuppies* et qu'en cette fin des
années 80 la race ne faisait plus du tout recette.
Plus du tout! Alors elle rêvait de Yale, Harvard,
Princeton... comme tant d'autres mères. Mais voilà
qu'Anita avait catégoriquement repoussé ces hauts
lieux du savoir et avait jeté son dévolu, allez savoir
pourquoi, sur un petit collège perdu du Bronx.

Là, elle habitait un appartement situé au sous-
sol d'une maison appartenant à Paquita Pereira,
une immigrée mexicaine. Dès sa descente du taxi,
Debbie avait pris des airs de princesse outragée.
Elle n'aimait pas cette rue-boyau, cet appartement miteux, les *dreadlocks* poussant en désordre
sur la tête de sa fille dont elle avait tant enrubanné
et graissé les cheveux, et pas non plus la robe
sans forme qui enveloppait son corps. Dès le premier coup d'œil à la façade de pierres lépreuses,
Spéro au contraire comprit où il était et ne sou-
haita pas être ailleurs. Ce n'était sûrement pas
dans ce quartier aux couleurs de la médiocrité
qu'il se trouverait quelqu'un pour lui reprocher
ce qu'il n'était pas devenu, ni pour lui rappeler
qu'il vivait en fait aux crochets de sa femme. Au
coin de la rue, la présence d'une poignée
d'hommes déguenillés lui avait signalé un bar,

The Black Dove, auquel il s'était déjà promis de rendre visite. Paquita, la logeuse, qui semblait se faire aux manières d'Anita, les invita à dîner dès le soir de leur arrivée. Elle était peintre, elle aussi. Ses tableaux tapissaient entièrement les cloisons du living-room, la cage des deux escaliers, le palier du premier étage et celui du second. Il y en avait aussi dans les salles de bains, dont un intitulé « Mariposa » au-dessus du lavabo, en guise de miroir. Comme elle avait rêvé d'être la nouvelle Frida Kahlo, Paquita ne rasait pas sa moustache, nouait des rubans un peu partout et portait un signe cabalistique tatoué au milieu du front. Au cours du repas, elle expliqua en très mauvais anglais que les créateurs des pays du tiers-monde ne sont pas libres, car le monde auquel ils appartiennent entend contrôler leur vision. Pas de place pour l'artiste baladin qui aime l'amour, les fleurs et le chant des oiseaux. Si elle était née sous un autre ciel, son nom s'y serait dessiné en jambages de gloire. Tandis que Debbie écoutait tout cela avec une petite moue de mépris, Spéro était séduit.

Non par ce verbiage, mais par la manière dont Paquita engloutissait son mouton aux aubergines cuites à l'étouffée sous le poivron, la tomate et le gingembre dont l'odeur seule vous mettait la bouche en eau. Quand ils firent l'amour quelques jours plus tard, sa chair déjà trop mûre était fondante comme celle d'un festin de noces.

A cause de Paquita qu'il suivait de restaurants en clubs de musique, en galeries d'exposition, Spéro, qui haïssait New York, révisa complètement ses idées sur cette ville et faillit commencer d'aimer l'Amérique. Il comprit qu'il n'aurait pas fallu faire partie du flot d'immigrants qui, des années plus tôt, confondaient Ellis Island avec une porte d'espoir et s'y pressaient pour arracher le meilleur à l'existence.

Dans ce peuple fraternel que Paquita lui présentait aujourd'hui, musiciens sans musique, guitaristes sans guitare, boxeurs sans crochet du droit ni du gauche, hommes d'affaires sans affaires, poètes sans rime ni raison, romanciers sans romans et stars sans étoiles, il se sentait bien. Comme il ne l'avait pas été depuis longtemps, car ceux qui l'entouraient n'attendaient plus que la mort. Comme lui. C'est pourtant au cours de ce séjour à New York qu'Anita avait fracassé son cœur, en lui annonçant son départ pour le Bénin. Depuis quelques années, Anita n'était plus Anita. Transformée. Sa peau s'était veloutée, ses joues creusées de fossettes, ses yeux emplis de feu tandis que son corps se parait et s'arrondissait. Les gens surpris ne reconnaissaient plus la rugueuse gaule d'adolescente qu'elle avait été et annonçaient à Debbie que bientôt un homme la lui enlèverait. Hélas! cette métamorphose du corps s'accompagnait aussi de celle de l'esprit. La nouvelle Anita brûlait ce qu'elle avait adoré. Non seulement elle refusait de chanter à l'église, mais même de s'y rendre et de s'y asseoir à la droite de sa mère comme elle l'avait fait pendant tant d'années pour son plus grand orgueil. Elle prenait sa place à la table des repas avec une telle mine que ni Debbie, ni Spéro, ni Mamie Carvin, la servante qui l'avait vue naître, n'osaient lui adresser la parole. La nuit, elle s'enfermait à clé dans sa chambre. Elle délaissait ses cours de piano et de karaté, ne faisant d'exception que pour les leçons de danse africaine que lui donnait Jim Marshall. Avec cela, ses notes étaient déplorables et les professeurs du lycée dont elle avait été le plus beau fleuron ne comprenaient rien de rien à ce qui se passait. Si Spéro, pas mécontent dans le fond de son cœur qu'elle se détache de sa mère, mettait tout cela au compte d'une banale crise d'adolescence, Debbie en semblait bouleversée et même vieillie. Anita rompit le silence qu'elle gardait depuis des années. Elle assit ses parents dans la minuscule salle à manger de son appartement et leur assena la nouvelle. Elle allait mettre ses connaissances théoriques en pratique dans un village du Bénin appelé Paogo. N'avait-elle pas étudié le développement pendant quatre ans?

Comme Debbie fondait en larmes — et Spéro réalisait le cœur amer qu'il ne l'avait jamais vue pleurer, même dans le cas de ses pires tromperies —, Anita lui fit observer effrontée et nullement émue par ce chagrin qu'elle manquait de logique. Ne l'avait-elle pas élevée dans la dévotion de l'Afrique? Oubliait-elle que, plus qu'une autre, leur famille entretenait des liens d'intimité avec cette terre? N'était-il pas grand temps de les renouer? Et son regard qui passait d'habitude sans s'arrêter sur Spéro, lui signifiant ainsi qu'il était quantité négligeable, un zéro devant un chiffre, le sollicitait soudain, s'accrochait à lui comme si elle attendait son soutien, son accord.

Spéro avait été pris d'une colère qu'il n'avait pas connue depuis longtemps. Son sang brûlait. Son corps tremblait. Lui, tellement avare de ses paroles, n'avait pu contrôler toutes celles qui se pressaient et sortaient en désordre de sa bouche. Est-ce qu'on ne pourrait jamais vivre le temps de l'existence dans le présent? Et, s'il le fallait, supporter la hideur de ses plaies? Le passé doit être mis à mort. Sinon, c'est lui qui tue. Est-ce que ce n'était pas toutes ces bêtises d'ancêtre et d'Afrique qui avaient fait de Djéré et de Justin ce qu'ils étaient devenus? Deux Rois Mages, deux ivrognes, risée du morne Verdol? Est-ce que ce n'était pas ce qui faisait le malheur de trop de noirs autour d'eux, tellement occupés à se bâtir d'imaginaires généalogies qu'ils n'avaient plus la force de conquérir à leur tour leur Amérique? Qu'espérait-elle? Qu'attendait-elle de ce voyage jusqu'aux sources du temps d'antan?

Anita avait détourné la tête. Ses yeux n'exprimaient plus rien. De toute façon, sa décision était irrévocable. Elle partait dans deux semaines.

Après cela, les jours et les nuits s'étaient traînés dans la peine et la douleur. Laissant Debbie ravagée, rentrer seule à Charleston, Spéro était resté à New York. Paquita essayait de le consoler par tous les moyens possibles et imaginables. Elle lui tenait continuellement de ces fables qui illustrent cette ingratitude du cœur des enfants qui a mené tant de parents à leur tombeau. Est-ce qu'elle n'avait pas quitté le Mexique à ses 16 ans, décidée à n'y revenir qu'une fois renommée gagnée : c'est-à-dire au bout du compte jamais? Son père était mort sans qu'elle aille l'embrasser une dernière fois. Et lui-même, n'avait-il rien de rien à se reprocher vis-à-vis de sa famille?

Spéro ne l'entendait même pas. Quelque part, il était tout étonné de l'étendue de sa peine. Il ne savait pas qu'il aimait sa fille à ce point. Il est vrai qu'il ne possédait rien d'autre. Rien. C'était son seul trésor. Sa poulette aux œufs d'or. Pendant ce triste temps, Spéro pratiqua le remède qui avait consolé son père et son grand-père avant lui. Il avala des tonnes d'alcool. Chaque nuit, il se rendait dans la fumée tiède du Black Dove, un bar qui ressemblait comme deux gouttes d'eau au Montego Bay, sauf que les habitués y avaient l'air plus dangereux, désespérés et cyniques.

Il y rencontrait Abiola, un frère du Nigeria que les coups d'État à répétition avaient chassé de son pays et qui le confortait dans sa rancœur à l'égard de l'Afrique.

Spéro n'avait raconté à personne l'aventure qui lui était arrivée à Paris et pendant son séjour à Lille.

Vers la deuxième année de ses études — et le temps se traînait pour lui, sans femmes, sans chauffage, presque sans argent, misérable —, il tomba dans son journal quotidien sur une publicité pour un ouvrage historique, *Les Rois-Dieux au Bénin*, dont le titre l'intrigua d'abord, puis l'enflamma après réflexion. Il se renseigna et apprit que son auteur, M. Jean Bodriol, était un ancien fonctionnaire colonial, vingt-cinq ans d'Afrique et une poigne de fer dans les divers territoires qu'il avait administrés. Il se fit donc passer pour ce qu'il n'était pas, un étudiant préparant une thèse d'histoire et demanda à venir le voir dans la capitale. Pour un Guadeloupéen nourri de fantasmes sur la Ville lumière, Paris surprend. Est-ce là en vérité la cité tant vantée? Pierres tristes des façades, pavés gras luisants de pluie, métros malodorants pris d'assaut par une foule miteuse et harassée, bars emplis de soiffards cherchant le réconfort du gros rouge. Spéro dîna d'une raie au beurre noir dans le vacarme d'une brasserie. Le lendemain matin, armé d'un plan, il quitta son hôtel du IVe arrondissement, descendit la rue de Rivoli et arriva tant bien que mal sur les quais de la Seine à la bibliothèque des Mondes d'outre-mer que dirigeait M. Bodriol. Il attendit près d'une heure dans un hall aux cloisons tapissées d'immenses photos en couleurs dont il lut attentivement les légendes pour tuer le temps. « Le piton des Neiges depuis le cirque de Salazie », « Un chemin du vieux Saint-Paul actuel », « Halte de l'Étang-Salé », « Vue d'Assinie en 1904 d'après une carte postale ». Enfin, il fut introduit dans un bureau étroit, sans beaucoup de jour, mais décoré de tapisseries d'Abomey et d'agrandissements photographiques des détails du palais royal Singboji : chevaux, mulets, lions la gueule ouverte, éléphants la trompe levée, caméléons. Une *récade* en bois dont la partie recourbée, emmanchée d'argent, représentait un poisson était placée dans une vitrine où se trouvaient également une série de petits parapluies de métal. Tous ces objets semblaient étrangement familiers à Spéro qui en avait vu la représentation au crayon exacte et minutieuse dans les Cahiers de Djéré et il croyait pouvoir les nommer sans se tromper l'un après l'autre. Il remit à M. Bodriol son bien le plus précieux : la photo de l'ancêtre, de Ouanilo, de la reine Fadjo, Djéré dans les bras, des autres épouses de Panthère, et qui portait au dos la mention manuscrite : « Le roi Gb *** avec sa famille, Fort-de-France, mars 1896. »

M. Bodriol l'examina longuement en silence, puis releva les yeux.

— Est-ce que vous avez un extrait de naissance de votre grand-père?

Spéro n'y avait même pas songé. De toute façon, Djéré n'avait été déclaré à la mairie de Fort-de-France que sous le nom — bien martiniquais — de sa mère : Jules-Juliette. Celui qu'après lui portait sa descendance. Alors, M. Bodriol eut un geste qui pouvait tout signifier.

— Vous n'avez aucune preuve de ce que vous avancez. Si votre histoire était vraie, nous en aurions eu vent. Le prince Ouanilo a tenu le journal très fidèle des dernières années de son père. Il n'y a jamais fait mention de cette naissance.

Spéro était parti comme un malhonnête.

Les coudes appuyés contre le parapet de pierre, il regardait sans la voir l'eau bourbeuse de la Seine et il lui semblait qu'il n'avait jamais été pareillement humilié de toute son existence. Pour qui le prenait-on en vérité? Pour un chercheur de places? Un fainéant qui veut faire son intéressant et se raccroche à la branche d'une dynastie? A quoi donc cela lui servirait-il? Que croyait-on? Rien de rien, il n'espérait rien et ne voulait rien gagner.

La noirceur tomba sur lui qu'il bouillait encore dans sa colère. Brusquement la ville se para de grâce. Tandis que la Seine coulait son flot noir entre les jambes des ponts, les affiches au néon, les yeux grands ouverts des voitures et l'éclat des terrasses composaient une symphonie de jour. Et les hommes et les femmes charroyaient le mystère dans les plis sombres de leurs habits. Il poussa la porte d'un bar où, bientôt attirée par sa solitude, une femme seule s'approcha de lui et voulut savoir qui il était, d'où il venait. Il haussa les épaules et fit moqueusement :

— Je suis le fils d'un Roi Mage!

En réalité, le vieillard n'était pas aussi coupable que le croyait Spéro.

L'année précédant son départ, il avait connu un grand chagrin : le prince Adandejan l'avait quitté. Il était retourné au pays, ne laissant que son corps dans la terre de l'exil.

On ne sait pas très bien de quoi mourut le prince.

Il ne s'était jamais habitué au climat de la Martinique qu'il trouvait froid et humide. Il toussait sans arrêt et se mouchait. Les vents en particulier l'effrayaient. Quand ils commençaient à souffler, il se barricadait à l'intérieur de sa chambre et le rhum qu'il buvait en grande abondance, accompagné de citron et de sucre de canne, n'arrivait pas à le réchauffer. Les vapeurs que crachait la Pelée et qui s'étendaient noires et nauséabondes jusque dans le ciel de Fort-de-France lui faisaient peur aussi. Que signifiaient-elles? Sûrement, c'était un signe que les *daadaa* étaient en colère. Comme le vieillard, il se répétait que l'on n'avait pas pu rendre au dernier maître des perles les honneurs qui lui étaient dus et il prévoyait sa vengeance.

Les épouses de Panthère s'étonnaient. Dans le temps, le prince avait eu un grand goût pour les femmes. À Abomey, après une campagne, tout le monde s'était offusqué du nombre de captives mahi qu'il s'était attribuées et qui auraient dû être envoyées au sacrifice. Or, à Fort-de-France, il semblait que son corps n'avait plus aucun désir. La nuit quand il ne faisait pas avec le vieillard une interminable partie de whist, il dormait tout seul comme un innocent dans sa couche.

Un matin à son réveil, il fut saisi de douleurs tellement violentes dans la nuque qu'on dut sans perdre de temps le transporter à l'hôpital militaire. Le soir même, il tomba dans le coma et mourut deux jours plus tard sans avoir repris connaissance.

Les épouses de Panthère crurent que le vieillard allait passer à son tour. Le prince Adandejan était le propre fils de la sœur de son père. Il avait tété la même nourrice que lui, choisie parmi les solides matrones de la région de Zogbodomé. Ils avaient fait leurs premiers pas dans le même quartier réservé du palais, derrière les murs hérissés de crânes humains, surveillés par les esclaves. Quand il avait été choisi comme prince héritier au détriment de ses frères, c'est avec lui qu'il avait célébré sa victoire en se saoulant au vin blanc de France et au genièvre de Hollande. Dans sa retraite d'Atchérigbé, après la fuite d'Abomey, il était là, toujours là.

Pendant les vingt-quatre heures de la veillée, le vieillard resta assis sans bouger à la gauche du lit funéraire, sa main serrant celle du cadavre. Au cimetière, il resta debout à regarder la terre tomber sur le cercueil. Après cela, il ne fut plus jamais le même. Ouanilo, qui lui servait de secrétaire, avait beau parcourir les journaux et lui lire les articles de ceux qui en France réclamaient la fin de son exil, ou le brouillon de lettres à adresser au président de la République, il n'écoutait pas. On aurait dit que rien n'avait plus d'importance. Tout de même, au moment de partir, il se rappela son garçon dernier-né et demanda à l'emmener avec lui; mais l'administration coloniale ne voulut rien entendre. La famille royale comptait huit personnes. Pas une de plus! Or le vieillard n'avait aucun moyen matériel. Il avait été dépossédé par les Français de son or, du produit de ses terres, des millions de francs que son père avait amassés dans le commerce de l'huile de palme. La colonie du Dahomey lui versait une pension ridicule qui obligeait la reine Fadjo à mettre ses bijoux en gage dès le 15 de chaque mois chez le bijoutier de la rue Perrinon.

Que pouvait-il faire?

Il sortit de sa torpeur pour dicter à Ouanilo une lettre au gouverneur réclamant le prix du passage de son fils dernier-né. Mais celle-ci resta sans réponse.

Il dut donc partir.

Ensuite, pendant la traversée de la mer des Sargasses, comme il avait ôté ses lunettes noires et s'étonnait du spectacle toujours si effrayant de tout ce bleu, le soleil le frappa en traître et lui emporta l'esprit. On ne s'aperçut pas tout de suite de ce qui s'était passé. Le voyage avait commencé paisible et le *Maréchal Bugeaud* se balançait avec grâce sur les flaques d'huile de la mer. Les épouses de Panthère et la princesse Kpotasse, qui étaient incapables de supporter ce mouvement, restaient enfermées dans leur cabine, un mouchoir de coton imbibé d'eau de Cologne sur les narines. Par moments, elles se précipitaient vers les hublots et rejetaient les rares aliments qu'elles avaient avalés. Le vieillard, quant à lui, se promenait sur le pont de son grand pas chaloupé avec Ouanilo. Il ne prêtait aucune attention ni aux regards curieux des autres voyageurs, ni à leurs chuchotements. Le vieillard aimait s'asseoir à l'avant et regarder des heures durant le soleil peindre le ciel. A certains moments, celui-ci ne présentait que des couleurs rose et jaune. D'autres fois, il était blanc, bleu, vert comme une grande bannière. Des bancs de poissons ailés brillants comme des lucioles survolaient la crête des vagues. Parfois des dauphins heureux sautaient hors de l'eau.

Ce fut la reine Abuta, la plus jeune des épouses de Panthère, qui s'aperçut que quelque chose ne tournait pas rond. Le vieillard était allongé sur sa couchette et elle éventait doucement son sommeil avec un éventail de plumes d'autruche quand brusquement il s'était redressé et avait interrogé d'un air égaré :

– Où est Ahanhanzo?

Or Ahanhanzo était son frère, disparu dans des circonstances mystérieuses des années auparavant. On chuchotait même que c'était lui qui avait fait appel à ses sorciers et l'avait frappé de variole pour prendre sa place sur le trône.

Terrifiée, Abuta déposa son éventail et courut trouver Fadjo qui, tranquille, fumait une petite pipe dans sa cabine...

Au fur et à mesure que le voyage avançait, on comprit que le vieillard avait oublié qu'il avait usé le temps de sa vie; qu'il n'était plus qu'un captif, un vieux corps sans patrie qu'on ballottait sur les vagues de la mer; mais se croyait redevenu Kondo le Requin, neuvième fils de son père, regardant se lever l'avenir. Assis en tailleur sur sa couchette, il dénombrait d'imaginaires cadeaux apportés en hommage par les Français : casque de dragon à crinière verte, longue-vue marine, pièces de soie, pièces de velours, boîte à musique, caisses de liqueurs, yatagan avec fourreau grenat. Il parlait des combats qu'il avait livrés au côté de son père; en particulier de celui d'Abeokuta, à l'issue duquel 4 000 prisonniers avaient été dépêchés dans l'au-delà. Il racontait comment il était parvenu à échapper aux ruses d'une des mères de Panthère qui le haïssait. Il s'irritait au souvenir de Juliano de Souza, âme damnée des Portugais, qui avait tenté d'abuser de son père. Au fur et à mesure que le temps du voyage s'écoulait, il retournait plus en arrière dans son passé, et quand le paque-bot toucha le quai d'Alger, il n'était plus qu'un tout petit enfant, à peine sorti du ventre de Mehutu.

Alors, il se perdait dans le labyrinthe des cours du palais. Il buvait l'eau froide des jarres placées à l'angle des murs pour apaiser la soif des esprits. Parfois, il chevauchait l'arc-en-ciel et arrivait non loin de la résidence de son père où tout le jour les *bokono* étaient penchés sur les plateaux ronds divinatoires. Une fois, il entra en pleine séance du conseil, d'où les ministres l'éconduisirent en fronçant le sourcil. Dès son plus jeune âge, il avait su qu'il ne fallait pas se diriger au-delà de l'arc-en-ciel où les *daadaa* dormaient d'un sommeil éternel dans leurs cases des perles. Il n'avait pas peur des têtes coupées et desséchées qui ornaient les murs d'enceinte, hauts à barrer le ciel. Il savait que ceux qui avaient choisi de partir de cette façon-là le protégeaient de l'endroit où ils étaient. Il rêvait de sortir au-dehors pour déchiffrer les bas-reliefs qu'une nuée de serviteurs royaux peignaient avec des couleurs d'origine végétale. Mais les eunuques gardaient toutes les portes du palais. Ce carré de lumière inaccessible symbolisait la liberté.

Le voyage de Marseille à Alger fut pénible. Des colons allant prendre possession d'hectares de terre dans le Hodna, le Sud oranais et le Mzab se livrèrent ouvertement à des propos racistes, murmurant les mots de « cannibales » et de « sales nègres ». Ils effrayèrent si fort la princesse Kpotasse qu'on crut qu'elle allait finir sa vie en mer. Enfin, on arriva en vue des côtes brûlées de sel et de soleil de l'Algérie.

A Blida, la villa qu'on attribua au vieillard et à sa famille, et devant laquelle bâillaient trois gardes arabes en chéchia avait appartenu à un haut dignitaire musulman dont l'administration française venait de confisquer tous les biens parce qu'il s'était opposé au Code de l'indigénat. Elle était somptueuse derrière son jardin fleuri de mimosas et de lauriers-roses. Le centre en était occupé par une cour rectangulaire au milieu de laquelle brillait l'eau d'un bassin. Tout autour courait une large galerie rehaussée d'arcs et de colonnades, sur laquelle s'ouvraient une douzaine de pièces. Elle se composait de deux corps de bâtiments reliés par un mur élevé et situés à chaque extrémité d'une cour rectangulaire. Une des pièces renfermait une bibliothèque pleine de livres reliés du XIIe siècle, un minbar du IXe siècle, un astrolabe du XIe siècle en peau de gazelle et des coffres en bois d'oranger incrustés d'ivoire. Dans la cour, un pressoir à olives intrigua fort les épouses de Panthère, qui n'arrivaient pas à comprendre son utilisation.

Ouanilo, qui haïssait Fort-de-France, avait beaucoup attendu de ce retour en terre d'Afrique. Il pleura quand il sut la distance qui le séparait d'Abomey et des baisers de sa mère qu'il n'avait pas vue depuis près de sept ans. Il sortait avec douleur de son enfance et l'injustice faite à son père le révoltait. Ce qu'il voyait autour de lui en Algérie achevait de le désespérer et il rêvait de devenir avocat pour redresser les torts que les blancs faisaient continuellement aux hommes à peau basanée et à peau noire.

Durant son exil algérien, l'esprit du vieillard était déjà parti. Tantôt il se croyait dans *Kutome*, buvant et mangeant avec les *daadaa*. Tantôt il se croyait revenu à la Martinique et revivait des moments de sa vie d'autrefois.

Les derniers temps qu'il avait passés à la Martinique, il était soigné par le docteur Arsonot, vieux mulâtre aux mains très fines et qui s'intéressait beaucoup à l'histoire de l'Afrique. C'est ainsi qu'il avait lu de très nombreux récits d'exploration, en particulier ceux de Sir Richard Burton et du docteur Répin, chirurgien de la Marine impériale, qui décrivaient le puissant royaume d'Abomey, perdu au cœur de la haute forêt. Son imagination s'était surtout enflammée pour les amazones, ce corps d'élite de 3 000 femmes armées d'arcs et de flèches, et il avait découpé des gravures les représentant dans le *Journal des voyages* et le supplément illustré du *Petit Parisien*. Il ne se laissait pas impressionner par ces histoires de sacrifices humains, de crânes et de sang, n'y voyant que de morbides fantaisies de journalistes. A la différence de ceux qui ne se gênaient pas pour l'appeler « sauvage » ou « cannibale », il croyait le vieillard un véritable souverain, un roi à part entière, aussi légitime que celui du palais de Versailles autrefois. Il se mit donc en demeure de rédiger un mémoire à l'intention du président de la République, attirant son attention sur la tragique situation du proscrit. Il concluait en disant que le souverain souffrait d'un mal, le *lenbe*, le mal du pays et qu'il n'y avait qu'une seule et unique manière de le guérir.

Il attendit trois mois, six mois, mais son mémoire demeura sans réponse. Comme l'ancêtre continuait de s'affaiblir, il se dit en lui-même que si on ne voulait pas le voir mourir, il fallait lui procurer des distractions, des promenades. C'est ainsi qu'il décida de l'emmener excursionner à Saint-Pierre, dont la famille Arsonot était d'ailleurs originaire.

L'ancêtre mit longtemps à se décider. Il ne pouvait vaincre la peur de ses tabous. Que feraient les *daadaa* à le voir voyager sur la mer, cette fois de sa propre volonté? Pas contraint et forcé par les Français!

Finalement il se laissa convaincre par les reines,

le prince Ouanilo et la princesse Kpotasse, qui s'ennuyaient à mourir à Fort-de-France...

A 6 heures du matin, le groupe prit le chemin du port, l'ancêtre, sa pipe d'argent à la bouche, fermant la marche sous son parasol tenu par la reine Fadjo. Dans leur joie, les enfants couraient devant malgré les recommandations du prince Adandejan. Ils ne s'arrêtèrent qu'en arrivant sur les quais. Là, Ouanilo, sa joie éteinte, regarda avec désespoir les navires de la Compagnie générale transatlantique venus de Nantes, Bordeaux, Le Havre, Marseille, dont aucun ne pouvait le ramener vers l'Afrique. Les « charbonnières », montrant leurs jambes droites comme des fûts de palmier, leurs paniers en équilibre sur la tête, remplissaient déjà les soutes des paquebots tandis que les blanchisseuses, pimpantes et couvertes de bijoux, quant à elles, rapportaient dans de grands *trays* le linge des passagers qu'elles avaient lavé blanc comme coton. Tout le monde s'installa tant bien que mal dans le vapeur de la compagnie Girard. Le voyageur Lafcadio Hearn dit de Saint-Pierre que c'est « la plus bizarre, la plus amusante et cependant la plus jolie de toutes les villes des Antilles françaises ». D'autres assurent que c'était aussi le port le plus actif des Caraïbes, que ni Willemstadt à Curaçao, ni La Havane à Cuba, ni Port of Spain à Trinidad, ni même Caracas au Venezuela n'auraient pu rivaliser avec elle. Le docteur Arsonot se faisait une fête à l'idée de montrer à l'ancêtre le quartier du Mouillage et le débarcadère de la place Bertin avec ses essaims de pigeons blancs; celui du fort et l'habitation Perinelle, bâtie sur un ancien couvent de jésuites datant du XVIIIe siècle; l'église Notre-Dame-du-Bon-Port; le marché métallique, les *cales* et surtout la rue Monte-au-Ciel dont les quatre-vingt-quatre marches grimpaient à l'assaut des mornes; les fontaines et leurs plumes d'eau argentée; les façades sans châssis ni vitres, munies d'auvents de bois et de zinc, peintes en jaune clair. Il espérait aussi passer quelques heures au Jardin botanique que les voyageurs venaient admirer du monde entier pour ses plantes importées de l'Inde, de la Chine, du Brésil et de la Guyane. Les gens se souvenaient encore de la fête que le gouverneur y avait donnée pour le plus grand enchantement du prince Alfred d'Angleterre, un des derniers enfants de la reine Victoria.

En cette saison, les roses de Caracas devaient embaumer. On avait compté cependant sans la curiosité des Pierrotins. Depuis la veille, la rumeur avait couru, allez savoir comment, que l'ancêtre se rendrait à Saint-Pierre. Aussi, depuis le bon matin, la foule avait envahi le port, empêchant les débardeurs de décharger les caisses, les boucauts de morue salée et les barriques de vin. On voyait même un grand nombre d'élèves, échappés du lycée voisin, reconnaissables à leur uniforme : veston et cravate noirs, gilet à pointes, chapeau de paille. Ne comprenant rien à cette agitation, des enfants déguenillés faisaient danser les ailes d'oiseaux de leurs cerfs-volants au-dessus des têtes. De grands escogriffes en profitaient pour crier leurs journaux d'un ton à faire peur : *Les Antilles, Les Colonies, L'Opinion.* Les retardataires ne cessaient d'affluer depuis la rue Victor-Hugo, la rue d'Orléans et celle de l'Abbé-Grégoire. On ne voyait pareil rassemblement qu'en temps de mardi gras.

Les sentiments des gens étaient partagés. Certains étaient railleurs.

— Un roi africain? Et puis quoi encore?

Certains étaient curieux.

— Mais quelle tête a-t-il donc, ce roi nègre?

Certains étaient fiers.

— Un nègre et roi! Et c'est notre petite Martinique de rien du tout qu'on lui a choisie pour lui faire une prison! Quel honneur sur nos têtes!

D'autres enfin étaient sincèrement apitoyés.

— *Po guiab!* * Si loin de son pays! Il paraît qu'il ne sait même pas parler français avec ça!

Vers 9 heures et demie, un même hurlement sortit de toutes les bouches :

— *Bato la ka rivé!* **

La foule se précipita en avant, les plus forts poussant les plus faibles, les piétinant au point que quelques freluquets tombèrent dans l'eau et crurent qu'ils allaient se noyer. La clameur de la foule attira notre groupe de voyageurs sur le pont du vapeur. Tout d'abord, personne ne comprit ce qui se passait. Puis, l'ancêtre réalisa que c'était lui qui attirait tout ce monde. Il murmura tristement quelques mots en langue fon et rentra à l'intérieur pour ne plus en ressortir. Il fallut retourner dare-dare à Fort-de-France.

De ce jour, le docteur Arsonot n'essaya plus de distraire l'ancêtre.

* Pauvre malheureux!
** Le bateau arrive!

Debbie avait une sœur cadette, Farah, mariée à Charles Thomas Jr, avocat prospère installé à Piscataway dans le New Jersey. Du temps qu'ils se parlaient encore en confidences, Spéro avait eu les oreilles rebattues des histoires de leurs rivalités d'enfance et d'adolescence, Farah était la préférée de leur père, Farah était la plus jolie des deux, Farah avait volé le cœur d'un cousin, Farah ne jugeait les gens qu'à l'argent, et il savait que dans son âge adulte Debbie connaissait encore les tourments de la jalousie. Pour sa part, il aimait assez Farah. A la différence de Charles Thomas Jr, qui ne lui adressait la parole qu'avec un chaleureux paternalisme, elle le traitait comme un adulte normal. Elle savait où situer son pays, la Guadeloupe, sur une carte, elle ne s'offusquait pas qu'il soit si petit, ni qu'on y parle le français. Dans sa jeunesse, qui avait été militante, elle avait même lu des poèmes de Césaire. Spéro comprenait bien que Farah, en se réfugiant à Piscataway, avait voulu fuir ce qui ordonnançait si rigoureusement toute l'existence à Charleston, mais il ne voyait pas par quoi elle l'avait remplacé et ne savait que penser. Quand il se rendait chez elle, lors des cérémonies de Thanksgiving ou d'anniversaires de mariage, il était à chaque fois frappé par le caractère fragile de sa vie. Comme si, privée d'une poutre maîtresse, cette belle construction de meubles italiens, de Porsche, de parties de tennis, de dobermans et d'amitiés interraciales affichées pouvait dégringoler d'un instant à l'autre. Chez Farah, on ne discutait de rien dont on puisse se souvenir une heure après. Ni problèmes politiques, ni problèmes sociaux, ni surtout raciaux. Ah, la race était un mot honni! Au bout du compte, ses deux fils, tout comme Anita avant eux, avaient repoussé Yale, Harvard, Princeton, toutes ces prestigieuses universités « blanches », et étaient revenus faire leurs études, l'un, David, à l'université d'Atlanta, l'autre, Ken, à l'université de Colombia à quelques kilomètres de Charleston. Comme s'ils tenaient à tout prix à découvrir ce que *nègre* veut dire. A n'y rien comprendre!

Ken venait souvent passer les week-ends à Crocker Island. Un gaillard haut de près de deux mètres, classiquement buveur de lait et de jus d'orange qui mettait une animation oubliée dans la maison sur l'île; mais Spéro souffrait de le voir occuper la chambre d'Anita et ne lui adressait jamais la parole. Ses visites, c'était le triomphe et la revanche de Debbie. Sur sa sœur, sur Spéro, sur Anita, sur toute l'existence en vérité. Elle retrouvait foi en elle-même. Elle gavait le garçon des mythes et des clichés dont elle avait gavé Anita et que des individus tels que Farah et Charles Thomas Jr avaient vainement tenté d'oublier. Quant à Spéro, qui faisait profession de s'en moquer, on voyait bien à quoi il ressemblait! *Let my people go. Up you mighty race. We return fighting. We shall overcome. I have a dream. Free at last.* Ken ingurgitait tout cela avec dévotion. S'il n'allait pas jusqu'à accompagner Debbie aux services du dimanche, préférant tout de même deux grandes heures de course à pied, il feuilletait assis à côté d'elle les albums de famille, se recueillait sur la tombe de l'oncle George présumé martyr et branchait le magnétophone chez Agnès Jackson. A voix basse, tête contre tête, tous deux, ils parlaient de l'ancêtre. Tout y passait. L'affrontement avec les Français. La défaite. Le premier, puis le second exil. La mort. Le retour en triomphe des cendres. Après ces conversations, Ken coulait des regards effarés vers Spéro comme s'il tentait d'établir un possible lien entre ce héros qui venait d'enflammer son imagination et l'homme qu'il voyait devant lui. Bougon, taciturne, empâté, le poil gris, bon à pas grand-chose. Comme dans un procès, Spéro aurait voulu préparer sa défense, puis il se reprochait cette faiblesse. Avait-il encore besoin d'être compris? Aimé? Pour se punir, il laissait la tante et le neveu tout seuls, la tête perdue dans leurs imaginations et leurs rêveries, et s'en allait boire au Montego Bay. Quand il revenait aux petites heures du matin, à moitié gris, butant sur chaque marche de l'escalier, fidèle à ce qu'on attendait, il avait honte de lui-même.

Spéro lava soigneusement son assiette et son couvert dans l'évier et les rangea. Qu'aurait dit Justin à voir son *ti-mal* pareillement transformé en animal domestique? Lui qui n'avait jamais su faire chauffer de l'eau et que Marisia servait comme le bon Dieu en personne descendu du ciel, tout propre à rien qu'il était. Une image que Spéro ne pouvait oublier était celle de son père, carré dans un baquet d'eau chaude, des paquets de vapeur montant dans l'air, noir et velu, pareil à un cochon qui a rencontré son samedi, Marisia s'affairant autour de lui avec une brosse à récurer.

Les femmes de l'ancêtre, quant à lui, le lavaient, le rasaient, lui coupaient les cheveux, lui enfilaient ses vêtements. À sa mort, elles s'enfermeraient dans le tombeau à côté de lui. Lorsque son père avait passé, bien qu'on n'ait pas célébré ses grandes funérailles, quarante et une de ses épouses avaient sur leur demande été mises en terre avec lui tandis que deux cents autres d'entre elles se donnaient la mort par empoisonnement ou par tout autre moyen. Jadis, c'est ainsi que les femmes noires se comportaient avec leurs hommes. Et en Amérique même! Debbie lui avait parlé avec un peu de mépris de l'adoration aveugle que sa mère portait à George, son père, le présumé martyr, en même temps grand coureur de jupons et mari fort absentéiste. Jamais un mot plus haut que l'autre! Un reproche! Une parole de récrimination! Toujours aux mille petits soins!

Bon Dieu de bon Dieu, depuis ce temps-là, qu'est-ce qui s'était passé dans la tête des négresses? Sur ce point aussi, elles avaient voulu imiter les femmes blanches, en lutte contre leurs hommes. Non seulement, dans le secret des ménages, elles fermaient leurs cœurs et leurs corps à leurs compagnons. Mais encore, publiquement, elles écrivaient des livres pour les vilipender et les ridiculiser. Ou bien on les voyait pérorer à la télévision. L'année passée, Debbie avait invité chez

Marcus, une romancière de l'Alabama dont on se demandait si elle ne voulait pas tout simplement faire disparaître les hommes de la surface de la terre. Dans son dernier ouvrage, elle avait dépeint toute une généalogie de femmes qui semblaient venues sur la terre par l'opération du Saint-Esprit. Et dire que les gens se pâmaient devant de tels écrits!

Spéro, lui, n'avait même pas voulu savoir comment la soirée s'était passée et avait préféré aller se saouler chez Linton. Il se retint de regarder sa montre et de s'interroger une fois de plus sur ce que faisait Debbie. En général, à ces heures-là, vers le milieu de l'après-midi, elle arrêtait ses enregistrements et permettait à Agnès Jackson, vannée par trois grandes heures de bavardage, de se tasser dans une berceuse et de pousser un petit ronflement. Tandis qu'Agnès dormait, la bouche légèrement entrouverte sur des dents jaunies par le grand âge, elle réécoutait ses cassettes et prenait des notes. Quand il fréquentait la maison, c'était le moment que Spéro choisissait pour y aller de ses questions. Il se moquait bien des Langston Hughes, quant à lui, et autres lumières du monde noir. Il cherchait à découvrir l'envers du décor; celui qu'on cache et qui est tout autant signifiant. Dans cette folie de blancheur qui avait frappé la famille Jackson, son aïeul Judah, fils ou petit-fils de James Earl se lassa d'équarrir des poutres et de mettre debout des granges comme son père et son grand-père avant lui. Être un artisan libre, position pourtant enviable, ne lui suffisait plus. C'est comme un maître blanc qu'il voulait posséder la terre et la faire accoucher de richesses. Il avait donc acheté à un mulâtre comme lui quelques hectares en bordure de la rivière Santee et s'était mis à les bêcher avec deux esclaves, Quaquah et Samuel, venus de la côte sous le vent d'Afrique, qu'il avait achetés à prix d'or. Au bout de quelques années, il possédait une des plus belles plantations de riz de la Caroline du Sud et se préparait à marier ses enfants à des blancs authentiques. C'est le moment qu'avait choisi le général Saxton pour planter le drapeau de l'Union à Charleston et pendre ses restes calcinés aux branches des sycomores de son parc, car au préalable, avec tous les membres de sa famille, il l'avait enduit de goudron et fait brûler. Un seul de ses fils avait échappé au massacre. Judah Jr. Ne pouvant effacer de son esprit l'image du corps torturé, humilié de son père, il s'était fait prêcheur itinérant, se jetant sur les routes de l'État pour faire entendre la parole de Dieu. Pendant cinq ans, il avait prêché de Hampton à Newberry, de Conway à Cheraw. Sa barbe avait atteint son nombril et on l'appelait « le deuxième Christ ». Entre deux sermons illuminés, il allait se purger les humeurs au bordel. C'est là qu'il avait rencontré une belle du Sud ruinée par la récente guerre civile et forcée de se reconvertir dans la galanterie. Il l'avait épousée et avait eu beaucoup d'enfants – dont le grand-père paternel d'Agnès, qu'une photo montrait, petit garçon à tête bien peignée, au côté de sa mère, digne, solennelle et qui avait oublié ses années de maison close.

Debbie n'aimait pas entendre ces récits peu catholiques qui régalaient Spéro. Ils la choquaient profondément tandis qu'ils le changeaient de l'histoire officielle qu'elle entendait lui servir. L'histoire des livres d'histoire.

C'est vrai que les oreilles de Debbie n'aimaient entendre que ce qui lui convenait. Spéro et elle étaient entrés dans une grande querelle à propos de l'ancêtre Senior, celui-là qui était sorti de la Barbade avec son maître Arthur Middleton dont les affaires commençaient à péricliter à Bridgetown et qui voulait s'offrir un continent. Spéro l'avait traité d'« oncle Tom » et elle ne l'avait pas supporté. Pourtant, Senior était l'âme damnée de son maître. C'est lui qu'Arthur envoyait lui acheter des esclaves au marché, et sa couleur ne le gênait pas. Il leur inspectait le blanc des yeux et des dents. Il leur pinçait la peau et leur soupesait les parties tout comme les planteurs blancs autour de lui. Peut-être même avec un peu plus de rudesse. Certains affirment que Senior était un mulâtre, le propre fils d'Arthur, ce qui explique pourquoi celui-ci l'avait emmené avec lui de la Barbade et tant favorisé par la suite, faisant de lui très vite un artisan libre. Debbie s'en défendait, jurant ses grands dieux qu'il n'y avait pas une goutte de sang blanc dans sa famille. Comment savoir la vérité? Comment se prononcer dans des événements tellement anciens, survenus entre 1677 ou 1678?

En ce temps-là, Charles Town ne comptait qu'une poignée de maisons, noirâtres comme la boue des marais et disséminées entre deux rivières, perpétuellement gonflées d'eau, l'Ashley et la Cooper. Les maladies, pian, dengue, malaria, mauvaise toux, menaient les nouveau-nés en une seule journée depuis leur moïse jusqu'à leur tombeau. Et les Indiens kiawah, qui ne pouvaient deviner le sort qui allait leur être réservé, offraient aux nouveaux arrivants la peau et la chair des bêtes qu'ils abattaient. Non, chez les Middleton, on n'aimait guère à parler de Senior. Le seul souvenir concret qu'on gardait de cette époque-là dans les effets de famille était un dessin anonyme, fait d'après la célèbre gravure de Samuel Copen représentant Bridgetown dans la seconde moitié du XVIIᵉ siècle. Une ligne de collines en dents de scie, dont la tête se confondait avec la masse des nuages. Une rangée de maisons écrasées par leurs pignons à la hollandaise. Des forts carrés. Une forêt de mâts de navires. Au jour d'aujourd'hui, ce dessin était encore accroché contre le papier à rayures fané du hall d'entrée, mais personne ne le regardait.

Souvent Spéro se disait que Debbie ne l'avait épousé que pour posséder une généalogie dont elle pourrait se vanter. Car toutes ces choses dont elle aimait tant à parler, esclavage, exactions et humiliations faites aux noirs, sa famille les avait fort peu connues en fin de compte. Artisans très tôt affranchis, barbiers de profession, dans leur échoppe aux fauteuils pivotants, les Middleton ne pensaient qu'à arrondir leur avoir, du temps que leurs frères de race étaient dans l'enfer. Pas un héros parmi eux! Au contraire! En 1820, lors de la fameuse conspiration de Denmark Vesey qui faillit bien apporter la liberté à ses frères, Moses Middleton faisait partie des honnêtes citoyens qui avaient signé une lettre collective aux autorités pour s'en désolidariser.

Dans les premiers temps de leur arrivée à Charleston, Debbie s'était mis en tête de traduire les Cahiers de Djéré. Avec sa détermination coutumière, chaque jour, à peine revenue du collège, elle s'asseyait à son bureau et travaillait jusque dans le mitan de la nuit. Spéro amoureux venait l'arracher à ses pages et elle finissait par le suivre avec un peu de condescendance. Quels enfants jouisseurs, ces hommes! Il ne savait que penser de ces belles résolutions. Lui-même avait lu et relu avec Justin les Cahiers de Djéré au point d'en connaître certains passages par cœur. Quand il était petit, son esprit les prenait comme un beau conte auquel ne manquaient que les illustrations. Alors, il était surtout sensible à ce qu'ils contenaient de fantastique et de surnaturel. Il adorait les descriptions de la forêt et de ses habitants. Chauves-souris. Papillons. Singes. Agoutis et calaos. Ses passages préférés étaient la rencontre de Posu Adewene et d'Agasu, la panthère, les aventures très belliqueuses et guerrières de Tengisu, leur enfant-monstre, celles de son fils Hunnugungun, maître des lances qui donnent la mort. Au fur et à mesure qu'il grandissait, il les lisait d'une tout autre manière comme le récit d'une défaite, d'une dépossession et d'un exil qui n'avait pas connu de fin. Ce n'était pas seulement l'ancêtre qui avait perdu son bien. Mais Djéré. Justin.

Et lui pour finir. A des moments, il en avait les yeux en eau et les mots couleur des mers du Sud dérivaient sur la page blanche. A son retour de Lille cependant, malgré les sollicitations de son père, il avait refusé de les rouvrir, comme s'il voulait en finir avec toutes ces rêveries qui avaient fait tant de mal à sa famille.

Aussi tantôt, la lubie de Debbie l'irritait. A quelle envie de faire son intéressant avait-il donc cédé en les lui faisant lire? Tantôt, il ne pouvait s'empêcher d'être ravi à l'idée que ces Cahiers qui avaient enchanté sa jeunesse sortiraient de l'ombre et ainsi vengeraient le triste destin de leur auteur.

Debbie avait dans l'idée une petit maison d'édition noire de New York qui possédait une collection de récits et témoignages, et avait publié *Lemon Swamp,* un livre de Mamie Garvin Fields qu'elle adorait. Quel chapitre lui faire parvenir pour éveiller son intérêt? Ils se disputèrent beaucoup à ce sujet, chacun étant d'une opinion différente. Finalement Spéro se rangea à l'avis de Debbie et accepta le choix d'un court chapitre du Cahier n° 3 qui s'intitulait « Totem et Tabou ». Quand l'envoi eut été fait, ils attendirent de longues semaines, Debbie se refusant à perdre espoir. Finalement la maison d'édition leur adressa une lettre de refus assez sèche qui la découragea complètement.

Les cahiers de Djéré

numéro trois

Totem et Tabou

Mon père m'apprenait à respecter et à craindre les animaux. Dans leurs corps, me disait-il, se cachent les Génies, les Esprits qui détiennent tous les pouvoirs de l'Univers. Certains sont là pour nous protéger et nous défendre. D'autres au contraire pour nous causer stérilité, souffrance et mauvaise mort. Un jour, je ne sais ce qui me prit, car je n'étais pas un enfant répliqueur et la parole de mon père me plongeait toujours dans l'enchantement, je me permis une question incrédule. Est-ce que les Génies, les Esprits pouvaient aussi se cacher dans le corps d'une misérable mouche?

Alors, mon père me raconta une histoire.

Tadjo, un de ses grands-oncles, se croyant leur égal, ne cessait de défier les Esprits. Il ne vivait que pour la chasse. Toutefois, quand il s'y rendait, il ne se souciait pas de se les concilier par des prières, des pratiques magiques et des sacrifices afin d'éviter leur vengeance. Il partait dans la brousse, armé non pas d'un arc, de flèches, de lances de jet ou de javelots, mais d'un fusil de traite acheté à des trafiquants de la côte, arme inégale, arme de guerre et de massacre. Il ne se contentait pas de chasser pour son besoin. Non! il s'enivrait de l'odeur du sang fumant et tuait, tuait pour son plus grand plaisir sans jamais se fatiguer. Oryx, gazelles, addax, antilopes, éléphants, buffles, lions, léopards, hyènes, chacals, phacochères, tout lui était bon. Mais bien sûr, jamais il ne touchait à la panthère. Un jour, Gnanhouman, maître de la brousse, vint le trouver et lui dit : « Tadjo, tu es grand . Ton père avant toi était grand. Toute ta lignée est grande. Cependant, prends garde à la vengeance des Génies. Pour chasser, pour faire couler le sang des bêtes de la brousse, il faut s'entourer de pratiques magiques dont je ne peux te révéler les secrets et que moi-même, je ne saurais t'apprendre. Au moins, écoute ce que je vais te dire et respecte ces quelques précautions. Si tu verses le sang d'un animal femelle, laisse couler celui de ton propre bras pour montrer ton repentir. S'il s'agit d'un mâle, recueille un peu de son sang dans une corne de gazelle ou de mouflon. Tu le verseras ensuite dans une coupe. Puis tu prieras pour la résurrection de celui que tu viens de tuer et pour qu'il te soit pardonné d'avoir versé du sang vivant. Fais ce que je te dis, je t'en prie par tous tes ancêtres, car si l'œil de la bête qui perd sa vie dans l'agonie rencontre ton sexe, tu seras dans un grave danger. Rappelle-toi aussi qu'il ne faut jamais viser l'animal à la tête, car c'est là qu'habitent les Génies. »

Tadjo ne fit que rire de ces paroles du maître de la brousse qu'il prit pour des plaisanteries.

Résurrection des animaux? Vengeance du sang? Il ne s'occupa pas et continua ses massacres de plus belle. Le soir, il s'endormait vanné, à côté de monceaux de chairs saignantes.

Une journée entière, il força une gazelle dorcas à travers la brousse pelée, sèche et brûlante. Comme celle-ci, épuisée par la chaleur et la course, se reposait à l'ombre d'un maigre buisson d'acacias, il la blessa au front par traîtrise et s'approcha par-derrière pour l'achever. La gazelle dorcas se tourna pour le regarder avant de tomber sur le flanc. Sous la douleur, elle haletait. Ses grands yeux en amande qui ne cessaient de fixer Tadjo se couvraient peu à peu du voile de la mort. Devant sa beauté, Tadjo fut pris d'un violent désir. Il défit en hâte son cache-sexe et la posséda. Dans un grand écoulement de sang, la gazelle dorcas mourut tandis qu'il atteignait à la jouissance. Puis il fendit son corps par le mitan.

Comme il revenait chez lui, sa gibecière pleine, les Génies manifestèrent leur colère en faisant tomber la pluie et gronder le tonnerre en plein milieu du mois de février, mais Tadjo ne sentit même pas l'eau qui ruisselait et arriva dans son village en chantant. Il ne s'aperçut pas que, tenace, une mouche le suivait en bourdonnant derrière son oreille gauche.

Le lendemain de son retour de la chasse, selon la coutume, Tadjo donna un grand festin avec le gibier qu'il avait abattu. Au-dessus d'un feu de braises qui rougeoyait, ses esclaves étalèrent la viande mélangée à toutes sortes d'aromates sur des traverses recouvertes de feuillage et posées sur des pieux fourchus verticaux. Déjà, les musiciens s'étaient installés devant leurs instruments. Debout, dans la lumière du feu de bois, un griot chantait les exploits de Tadjo.

Quand ce dernier se retira pour la nuit, la mouche bourdonnait toujours derrière son oreille. Pourtant, il n'y prêta aucune attention. Qui se soucie d'une mouche, la plus petite créature créée par Dieu? Il se coucha, s'endormit aussitôt et fit un rêve. Il était parti pour la chasse, mais arrivé dans la brousse il ne reconnaissait plus rien. Aussi loin que son œil portait, jusqu'à l'horizon, jusqu'aux contreforts des montagnes, son étendue s'était changée en mer de sang. Des vagues moutonnaient et sur leur crête les corps de toute qualité d'animaux dérivaient. Dans sa terreur, il fit quelques pas et se trouva plongé à mi-corps dans le liquide rouge, gluant et poisseux qui bientôt monta jusqu'à sa bouche, ses narines et le charroya là où il ne voulait pas aller. L'impression de ce rêve fut si forte que Tadjo se réveilla, hagard et trempé de sueur. Sa quatrième épouse qui dormait contre son flanc parvint à l'apaiser. Il se recoucha et se rendormit tant bien que mal. Mais un autre rêve effroyable encore vint le réveiller à nouveau. La gazelle dorcas qu'il croyait avoir dépecée était vivante. Debout sous une touffe d'acacia, elle l'appelait. Pourtant quand il l'approchait et mettait la main sur elle, elle se décomposait et il se trouvait toucher un paquet gluant de viscères et de sang coagulé. Une seconde fois, il hurla; une seconde fois, tant bien que mal, les caresses de son épouse le rendormirent. Pour être réveillé à nouveau par un rêve encore plus terrifiant. Une nouvelle fois, puis une autre, puis une autre. Bientôt, il ne put plus se rendormir. Assis sur sa couche, il hurlait sans arrêt, les yeux fous, un filet de sang coulant de son oreille gauche.

Le *bokono* appelé en vitesse fit son diagnostic. Un Génie qui avait pris la forme d'une mouche avait pénétré par son oreille gauche jusqu'à son cerveau qu'il mangeait doucement. Au bout de plusieurs jours de souffrance, de délire et de folie, Tadjo mourut.

C'est ainsi, concluait mon père, que Tadjo le brave, le fier, le valeureux, fut tué par la plus petite des créatures créées par Dieu pour n'avoir pas su donner du respect à ses frères animaux. Mon père m'avait déjà parlé de la panthère et je savais que nous étions ses enfants.

II

Les crabes sortirent de tous les trous du sable noir volcanique, tapissé de feuilles mortes et se groupèrent en colonnes serrées. Cognant l'une contre l'autre leurs coquilles violacées, levant en l'air leurs mordants grands ouverts, pareils à des tenailles à clous, marchant déhanché et crochu, ils atteignirent le corp nu de Spéro. Sans hésiter, ils remontèrent le long de ses cuisses, mais firent avec précaution l'entour du morne massif de son sexe avant d'emmêler leurs pattes dans les broussailles de son pubis et de grimper en quatrième vitesse la calebasse adipeuse de son ventre. A la pointe de chaque griffe, le sang gouttait rouge. Comme ils atteignaient le plat de sa poitrine, l'un d'eux, d'un seul coup de mordant, la défonça et fouilla dans les profondeurs de la chair jusqu'au cœur qui battait la peur. Sous la douleur, Spéro hurla.

Réveillé par son propre hurlement, Spéro s'aperçut qu'il avait dormi. Non pas d'un premier sommeil léger, poreux, perméable à toutes qualités de bruits. Mais d'un deuxième sommeil, lourd comme une roche plantée au beau mitan de la rivière ou une roue de cabrouet, oubliée depuis des temps et des temps à la lisière d'un champ de canne à sucre et que les plantes grimpantes

prennent d'assaut comme les cauchemars. Depuis
deux ans, le même rêve. Trois et quatre fois la
semaine.

Il se mit debout et s'approcha de la fenêtre,
restée grande ouverte.

Le ciel était vide. Le soleil l'avait laissé, tombant derrière le bois noir des cyprès, mais sa clarté
traînait encore derrière lui. Il avait plu. Beaucoup. Beaucoup. Les feuilles des arbres étaient
lavées bien propres et des guirlandes de perles
s'accrochaient tout le long de leurs branches
comme s'ils étaient déjà parés pour la Noël, en
avance d'une bonne quinzaine sur le temps du
calendrier. Tout doucement, l'île s'apprêtait à
commencer sa dérive vers la nuit. Elles célébre-
raient leurs retrouvailles dans la noirceur, la pluie
et le vent.

Ce Noël-là serait le deuxième depuis que leur
enfant les avait laissés pour le Bénin. Que ferait-
elle dans son village perdu du bout du monde?

S'aidant de ses souvenirs de cartes postales,
Spéro essaya de l'imaginer dans un décor rouge
de cases rondes en banco, sans froidure, ni pluie
ni grand vent. Une grosse lune de satin plaquée
au milieu d'un ciel indigo dispensait sa clarté.
Coiffée d'un fichu, elle se rendait à la messe de
minuit dans l'humble église de rondins mise
debout par les premiers missionnaires et chantait
les cantiques en langue africaine avec la même
ferveur que les fidèles. Après la messe, elle partageait avec ses nouveaux amis un frugal repas
de manioc et de pintades bouillies. Pas un instant,
sa pensée ne revenait à ses parents seuls, tout

seuls dans Crocker Island comme deux vieux corps que leur progéniture a désertés.

Et eux-mêmes, que feraient-ils ce jour-là? De tout temps, Noël l'avait rendu nostalgique, car s'il y a une saison pour être chez soi, une saison qui rouvre toutes les plaies de la solitude, c'est bien celle-là. Il laisserait Debbie s'activer aux mille activités de sa journée et de sa nuit. Déjà, sur un meuble de la salle à manger, elle avait disposé des paquets enveloppés de papier aux couleurs brillantes, décorés de sapins et de traîneaux, et soigneuseument étiquetés. Chaka. Paule. Jim. Agnès Jackson. Elle n'oubliait personne. Pas même lui. L'année passée, elle lui avait offert un luxueux album de peintures de Gheorghe Sturza, peintre roumain qu'il adorait.

Quant à lui, il traînerait probablement toute la journée, puis, le soir venu pour ne pas affronter tout seul les lentes heures de plus en plus noires, il se rendrait chez Linton. Chaque année, Linton préparait un repas qu'il disait à la cubaine. Du riz. Des pois. Des tranches d'avocat. Du porc et une sorte de saucisse de tripes pimentées qu'il faisait cuire lui-même. Il invitait deux ou trois filles pas sauvages. Il mettait des disques de salsa sur son électrophone. On dansait. Cette année, Spéro n'avait pas le cœur à ces pauvres réjouis-sances. D'ailleurs les filles ne l'allumaient plus. Elles avaient beau s'en mettre plein la bouche devant lui avec leurs *nachos* et leurs sandwiches au thon, il restait de marbre. Ce qu'il souhaitait à présent, c'était des causers sans fin sur l'Amé-rique, sur la Guadeloupe, sur l'Afrique, sur l'exis-tence en général. Debbie avait tort de le prendre pour une cervelle creuse. Il passait le temps à réfléchir.

Quelle heure était-il? 17 heures 45. A ce moment-là, Debbie rangeait dans son sac deux ou trois cassettes soigneusement numérotées, remplies des bavardages inutiles d'Agnès Jackson. Qu'est-ce que la vieille femme avait encore inventé cet après-midi-là?

Spéro aimait aussi à la faire parler de sa jeunesse. En 1918, après la mort de sa mère, elle n'avait plus eu le cœur de vivre à Charleston et avait arraché à son père la permission de partir pour New York. Elle était donc montée à bord du *Comanchee,* un navire de la Clyde Line qui reliait Charleston aux cités du Nord. Elle, petite princesse dans sa maison, s'était coincée avec cinq autres passagers dans une cabine pour gens de couleur sans air ni lumière munie d'un seau hygiénique que l'on devait vider soi-même à la mer. Au bout de trois jours et trois nuits d'agonie, elle était arrivée à Ellis Island. C'est là qu'elle avait vu les immigrants.

Des blancs. Des blancs. Mais des blancs d'une espèce qu'elle n'avait jamais rencontrée. Hâves. Grisâtres. Les traits marqués par la férocité de l'existence. Les femmes, les cheveux cachés sous des fichus ternes comme leur figure. Les hommes, serrant des poings énormes comme des massues au bout de leur manche. Pourtant ces pauvres hères qui venaient mendier l'espoir s'étaient esclaffés et livrés à mille facéties en voyant les noirs qui descendaient du navire et prenaient place dans une file d'attente séparée devant le guichet qui leur était réservé. Pour Spéro, cette histoire symbolisait toute l'injustice de l'Amérique.

Au sortir de chez Agnès, dans la nuit naissante, Debbie courait à l'African Ballet Theatre que dirigeait Jim Marshall, sociologue de profession, danseur par goût et bon ami un peu confident. Spéro était bien le seul à critiquer l'African Ballet Theatre, à lui dénier toute vraie créativité et à voir en lui une copie de ces sempiternels ballets africains. Le *Black Sentinel of Charleston* était d'un avis contraire, lui qui n'hésitait pas à le comparer à l'ensemble d'Alvin Ailey. Debbie, elle aussi, faisait observer que ce ballet s'était produit avec grand succès dans diverses villes de la Caroline du Sud et du Nord, en particulier à Durham et Columbia ainsi qu'à un festival de danses du Monde noir organisé en Suède où il avait remporté le troisième prix après le Zaïre et le Burkina. Le clou de la représentation, qui déchaînait à chaque fois les applaudissements, était la « Danse d'initiation ». Vingt adolescents en collants d'Arlequin rouge et noir, les bras et les chevilles serrés par des bracelets d'argent et évoluant avec vigueur. Toutefois, les spectateurs aimaient aussi beaucoup les « Scènes de la vie au village »; des femmes, des hommes, quelques enfants se livrant aux paisibles activités du temps de paix. KPFZ, la principale station de radio noire de Charleston, avait longuement interviewé Jim Marshall qui avait expliqué d'où il tirait son inspiration. Il avait même eu son portrait dans *Ebony* pendant les années 60. C'était un terrible gaillard, Jim. Six pieds cinq pouces. Capable de loger sans effort, d'un seul saut, un ballon dans un panier. Grand

amateur de base-ball aussi et qui gardait des trophées gagnés du temps qu'il était étudiant. Un
peu excentrique dans ses grands boubous brodés
à l'africaine. Avec cela excellent cuisinier, grand
spécialiste des plats végétariens, car lui non plus
ne touchait pas à la chair. Si l'existence avait
possédé le moindre souci de logique, c'est Jim
que Debbie aurait dû épouser et non ce Guadeloupéen qui gardait la terre du morne Verdol
accrochée à ses semelles. Mais voilà! Jim, et Spéro
en ricanait, n'aimait pas les femmes! C'était le
secret de Polichinelle! Seule Debbie refusait d'admettre cette vérité-là que Spéro voulait à tout
prix lui faire regarder dans les yeux, attirant son
attention sur ces mille signes qui ne trompent pas
et indiquent qu'un homme est un homme.

Jim s'était toujours entouré d'hommes généralement très jeunes et plutôt beaux qui faisaient
circuler les plateaux lors de ses réceptions ou
servaient de décorations comme ses caoutchoucs
en pot, ses masques, ses tapisseries et ses bijoux
ashantis. Mais depuis deux ou trois ans, il vivait
avec Jeff, simple serveur au Good Old Days, un
des meilleurs restaurants du cœur touristiques de
Charleston, comme si les amours entre hommes
ne connaissaient pas ces divisions en classes sociales
qui causent tant de malheur aux autres. Il est vrai
que Jeff étudiait le soir pour devenir sociologue
et avait publié des poèmes qui dénotaient un certain talent dans *The Black Sentinel of Charleston*.
En attendant de devenir peut-être aussi pompeux
que son Pygmalion, Jeff était un jeune garçon
charmant, vêtu comme un mannequin, assez porté
sur toutes qualités d'alcool et que le souci de

l'avenir de la race n'affectait pas sensiblement. A force de s'ennuyer en bas bout de table à côté de lui au cours de dîners où des *grangreks* analysaient sans jamais se fatiguer le tour qu'aurait pris la pensée de Martin Luther King si la mort ne l'avait couché au moment où elle l'avait fait, Spéro finit par le prendre en amitié. Un soir, Dieu seul sait comment, ils échouèrent au Montego Bay, où Linton ouvrit des yeux effarés devant la conversion de son ami. Ils burent jusqu'à plus soif et, dans la grande fraternité de l'ivresse, Jeff se révéla. Il étouffait parmi ces bourgeois mitonnant dans les éternelles obsessions de la couleur et de l'autoglorification. Dès qu'il aurait son diplôme, il leur donnerait dos. Il quitterait Charleston, l'Amérique. Ah oui! il partirait. Pour l'Angleterre. Pour Londres.

Son grand amour secret était Dave, un Anglais qu'il avait connu à un festival de jazz du temps qu'il habitait à La Nouvelle Orléans. Avec lui, il avait senti qu'il n'était pas un noir, mais un être humain qui méritait l'amour au même titre que ceux d'une autre couleur. Dans les lettres qu'il lui adressait chaque semaine, Dave le pressait de venir le rejoindre à King's Road. Mais il n'était qu'un musicien, parolier et joueur de guitare électrique dans un ensemble sans renom, Jeff ne voulait pas vivre à ses crochets. Alors, il supportait Jim pour quelques années encore.

Ce mélange de cynisme et d'amour fou enchanta Spéro.

Jim et Debbie s'étaient connus quelque trente ans plus tôt à Atlanta où ils étaient tous les deux étudiants. Mais alors tout les séparait. En ces années-là, elle le reconnaissait bien volontiers, Debbie n'était qu'une petite-bourgeoise du Sud, provinciale et ignorant l'état du monde. Jim, quant à lui, sortait d'une enfance et d'une adolescence à la Bigger Thomas. Né dans un ghetto de Chicago d'une mère servante chez les blancs, d'un père gardien de nuit et perdu d'alcool. Ses trois frères délinquants croupissaient dans des pénitenciers d'État. Sa sœur faisait le tapin à Central Street. Il n'avait qu'une idée dans la tête : fuir, fuir l'enfer de l'Amérique. Aussi en 1960, quand John Kennedy avait placé son beau-frère à la tête du Corps de la paix, il avait été un des premiers à postuler pour un emploi et avait été envoyé dans une école de Kumasi au Ghana. Là, il avait rencontré Malcolm X qu'il avait accompagné, séduit, jusqu'à Tamale et Bolgantaga, et qui lui avait révélé que les seuls vrais combats se livrent chez soi.

C'est au retour de ces trois années qui avaient fait de lui l'homme qu'il était à présent qu'il avait retrouvé Debbie par le plus grand des hasards au collège de Charleston. Ils avaient tous deux commencé de communier dans l'engagement politique et culturel.

Jim et Debbie avaient tout pour s'entendre. Ils écoutaient la même musique; ils lisaient les mêmes livres. Ils partageaient la même idéologie. Longtemps, ils avaient vécu les yeux fixés sur l'Afrique en suivant avec la même passion, comparant et discutant, toutes les expériences du socialisme. Pourtant Jim ne pouvait se défendre d'une fascination peu orthodoxe pour le pouvoir traditionnel. Des centaines de fois, avec la même exaspération, Spéro l'avait entendu raconter comment, frais débarqué dans le pays ashanti, il avait croisé le cortège de l'*Asantehene*, Agyeman Prempeh II, se rendant au siège des Affaires traditionnelles.

D'abord venaient quatre musiciens qui soufflaient dans des trompes et frappaient sur des tambours d'aisselle. Derrière venaient les dignitaires et conseillers. Adontehene. Akwamuhene. Kontihene. Gyasehege. Lui-même allait l'épaule nue, superbe dans son pagne *kente*, sous son parasol d'un mètre et demi de diamètre, orné tout autour d'une frange verticale. Le *Kontihene* avait remarqué Jim, si visiblement étranger, debout bouche ouverte d'admiration et — là, l'esprit de Spéro se permettait des irrévérences — l'avait invité à venir le visiter dans sa concession, véritable ville qui abritait ses femmes, ses enfants et ses courtisans. Jim en était bientôt devenu un familier. Il y avait midi et soir sa sauce-graine et son *foufou*. La nuit, sa natte pour dormir s'il lui en prenait l'envie dans le quartier des hommes. On l'avait rebaptisé Yefrefo, qui veut dire « Venu d'ailleurs ». Désormais, sans pour autant abandonner la sociologie, il avait appris leur art avec les danseurs royaux. Jim était un intarissable bavard, un moulin à paroles, un *rara* de semaine sainte. Il décrivait le fonctionnement de l'empire ashanti créé par le légendaire Oseï Tutu, la religion, la philosophie et les coutumes ashanti ou encore le rôle de l'*Asantehene* avec un luxe de détails à lasser la patience d'une bonne sœur. Dans cet empire, expliquait-il, le *Kontihene* était un prince du sang, chef de combat, décideur des batailles. C'était un des personnages les plus prestigieux de la cour, membre du conseil privé. Son amitié était un privilège dont peu de gens pouvaient s'honorer. En lui-même, quand il entendait ces vantardises, Spéro exaspéré se disait : Qu'est-ce qu'il aurait fait, hein, en vérité, si le *Kontihene* au lieu de l'avoir pris sous sa protection était véritablement son ancêtre? Oui, qu'est-ce qu'il aurait fait? C'étaient des gens comme Jim qui l'avaient dégoûté de sa propre origine et qui l'avaient conduit à la traiter comme un vulgaire fantasme. Ils avaient fait de l'Afrique leur carnaval, leur défilé de mardi gras dont ils pillaient les oripeaux. Ils ne cherchaient à comprendre ni son sens ni sa signification et la paradaient sans rime ni raison. Jim décrivait aussi avec onction l'enterrement de W. Du Bois à Accra, quand les foules recueillies autour de l'Osagyefo tournaient une page de l'histoire du panafricanisme.

Et surtout, surtout le voyage avec Malcolm X dans le Nord. Le Nord est une autre terre. On y prie autrement. Là, ils avaient rencontré l'islam sous les traits du sage Abdou qui avait remis à Malcolm un exemplaire enluminé du Coran datant du XIVe siècle. Lui-même, Jim, avait bien failli se convertir à l'islam et changer son nom.

Debbie buvait toutes ces belles paroles-là comme un enfant une tasse de *chodo* à un baptême, les yeux brillants, signifiant dans toute sa personne combien volontiers elle aurait échangé ses jours d'étudiante modèle, la croisière dans les Antilles, la rencontre avec Spéro et même le temps de leur amour sur le morne Verdol pour partager des expériences si enrichissantes. Spéro haïssait Jim, pourtant toujours amical avec lui. Il aurait préféré qu'il fasse l'amour adultère avec Debbie; qu'il ait passé des nuits secrètes avec elle et qu'ils se soient réveillés côte à côte exténués dans le devant-jour, dérivant sur le désordre d'une couche. Tout plutôt que ces attachements qui ne concernent pas les corps.

En ce 10 décembre qu'il n'avait pas célébré, plus âcre encore, la nostalgie prenait Spéro à la gorge. Qu'est-ce qu'il n'aurait pas donné pour rentrer chez lui! Débarquer à la Noël dans l'odeur des daubes de cochon et des pois d'Angole qui mijotent! Assister à la messe à l'église Saint-Jules, bondée d'une foule qui chante le « Minuit chrétien », mais rêve à sa ripaille!

Chez lui?

Est-ce que ces mots avaient encore un sens? Après tant et tant d'années d'exil, est-ce qu'une terre est toujours natale? Et est-ce qu'on est toujours natif? On arrive dans le pays et on ne connaît plus ni sa parole ni sa musique. On cherche sans jamais le trouver le *piébwa* de son placenta. Coupé à ras par les promoteurs immobiliers. Quand Maxo et Lionel lui écrivaient, Spéro s'apercevait que la Guadeloupe de son souvenir était morte et enterrée. Les usines étaient devenues des cimetières. Les champs de canne n'étaient plus que des refuges pour rongeurs. Le béton avait tué le bois. Déjà quand il était revenu au pays après ses études à Lille, il avait trouvé La Pointe bien changée. Sur le quartier dit de « l'Assainissement », un grand hôtel était sorti de la terre avec une église, une école et diverses autres constructions en dur. Finies les tinettes qui empuantissaient l'air et les fontaines devant lesquelles des queues s'allongeaient. Ce n'était que fée électricité et tout-à-l'égout! Seul, le morne Verdol restait le morne Verdol! Pourtant, des esprits progressistes soufflaient qu'il était lui aussi promis aux urbanistes. Non, il n'avait plus de place nulle part. Lui aussi, comme l'ancêtre, il était en exil.

Les années que la famille royale passa à Blida furent plus heureuses. Là au moins, plus de volcans dont la voix caverneuse les effrayait, plus d'orages terrifiants ni de pluies torrentielles. Un temps sec, frais et ensoleillé. Tout de même, la princesse Kpotasse et le prince Ouanilo se plaignaient. Les petits Arabes les traitaient de sales nègres et les femmes, écartant les voiles qui recouvraient leurs figures, sortaient sur le pas des portes pour les regarder avec de grands éclats de rire. Dans sa rage, Ouanilo adolescent rêvait de les tuer. Ou alors de se tuer.

L'ancêtre quant à lui ne s'apercevait de rien puisqu'il était redevenu petit enfant. Il laissait Ouanilo tranquille. Il ne lui dictait plus de lettres interminables au président de la République. Du coup, il ne connaissait plus ces crises de rage et de mélancolie qui le prenaient quand les réponses se faisaient trop désirer. Il ne pleurait plus à gros sanglots la nuit. A Blida, toute la matinée, il regardait l'ombre du soleil dans le patio dont le sol était recouvert de damiers de *zellijs* où le blanc alternait avec le bleu. Vers 11 heures, fatigué d'observer les tours et détours du soleil, il se levait et, sous son parasol, suivi de la reine Fadjo qui n'aimait pas à le voir aller seul dans cette ville étrangère, à tout petits pas, il poussait son vieux corps jusqu'au quartier des artisans logé dans le cœur de la Médina.

Sur son chemin, il admirait les maisons tellement différentes, tellement plus belles que celles de Fort-de-France, avec leurs façades de briques et de pierres ornées de mosaïques. Il tombait en arrêt devant les vantaux des portes en bois sculpté. Confusément cela lui remettait en mémoire les sculptures de son propre palais. Puis il levait la tête vers les toits qui s'étendaient en terrasses sur lesquelles le linge qui séchait claquait comme des drapeaux dans le vent.

Il aimait par-dessus tout s'arrêter au marché des orfèvres juifs en sandales de jonc et la tête enturbannée de noir pour soupeser les anneaux et les bracelets d'or, moins lourds cependant que ceux qu'il possédait autrefois, ciselés par ses bijoutiers. Les juifs, qui connaissaient sa triste histoire, murmuraient entre leurs dents d'un ton de douleur :

— *Sh'ma Yisraël : Adonai Elohenu Adonai Ehad!* *

Il aimait aussi regarder les potiers, les joues tannées par le feu de leurs fours, qu'ils nourrissaient avec de grands chardons blancs, des tiges de carottes sauvages, de la paille de chaume et des tourteaux d'olive. Pourtant, ce qu'il préférait,

---

* Prière juive.

c'était de se planter debout devant les brodeurs piquant leurs aiguilles enfilées de longs brins de fil monochrome. Point biais. Point persan. Point de tige. Point piqué. L'ancêtre s'enchantait de ce spectacle. Sans la reine Fadjo, il serait resté là toute la journée.

Spéro imagina Debbie présentement debout non loin de Jim et regardant s'entraîner les danseurs. Parfois elle se permettait une petite observation qu'il prenait toujours en compte. Qu'est-ce qu'elle lui trouvait, à ce bavard? A ce manieur de paroles? A ce faux homme? Ah! les femmes ne connaissent jamais ceux qui méritent l'amour.

Pas à dire, il n'avait pas eu de chance avec ses femmes! Ni sa grand-mère, ni sa mère, ni son épouse, ni sa fille ne l'avaient véritablement aimé.

La couleur de Marisia avait sans doute mis Debbie mal à l'aise. Depuis le premier jour de leur rencontre, elle l'avait regardée en chien de faïence. Les deux femmes avaient vécu trois mois sous le même toit sans échanger une seule parole, Marisia se barricadant dans le créole, Debbie dans l'anglais, ni un seul sourire. En tête à tête, Debbie ne se gênait pas pour dire à Spéro qu'elle jugeait sa mère fruste, sans éducation, indigne de sa fonction. Aussi il avait toujours eu honte de lui confier les sentiments que, malgré cela, elle lui inspirait. C'est ainsi qu'elle ne se doutait pas du coup que sa mort lui avait porté. Un peu moins de trois ans après son arrivée à Charleston, deux télégrammes se suivant à quelques heures d'intervalle :

« Mère au plus mal. »

« Mère décédée. »

En ce temps-là, on ne prenait pas l'avion comme on le prend aujourd'hui. Trop cher! Et le bateau était trop lent. Aussi, Spéro avait dû se contenter d'une somptueuse gerbe de fleurs par InterFlora et d'être présent sur le morne Verdol en imagination. Si Marisia, renfermée, peu causante, parce que peu heureuse dans son ménage, n'avait pas d'amies, elle avait des clientes. Toutes ces femmes qu'elle avait habillées; pour qui sa main de fée avait coupé des jupes droites, des jupes à godets, des jupes plissées soleil, des manches bouffantes, des manches gigot ou des manches ballon. A la veillée, elles avaient envahi la maison, entourant une dernière fois Marisia étendue raide sur son lit, la figure sans joie qu'elle avait portée un peu moins de cinquante-deux ans transfigurée par une grande paix. Entre deux psaumes, elles chuchotaient que cela se voyait qu'elle était contente d'aller retrouver Lacpatia, sa maman rappelée au bon Dieu le Carême précédent. Sa maman! Seule personne qui l'avait aimée! Et les femmes coulaient des regards de reproche vers Justin qui nageait à son habitude dans le rhum et ne semblait même pas réaliser quelle qualité de personne avait passé trente-cinq ans à côté de lui. Spéro n'avait parlé de Marisia comme son cœur brûlait d'envie de le faire qu'avec Arthé.

Arthé. Pour qui un temps sérieusement il avait

envisagé de quitter Debbie. Elle venait de La Nouvelle-Orléans et bien qu'étiquetée noire, en réalité trois sangs coulaient à égalité dans ses veines. Un mari l'avait laissée naufragée sans argent ni enfants, sans rien pour la retenir dans l'existence et elle dérivait d'un homme à l'autre. Elle avait fait cadeau à Spéro de la chose la plus précieuse que Debbie lui refusait, la liberté d'être lui-même. Guère capable. Tout juste bon au lit. Avec elle, il avait pour une fois oublié l'ancêtre et parlé de sa famille maternelle. Jean Boyer d'Etterville, le béké qui, alors qu'il se trouvait à l'article de la mort, avait légitimé Marisia à ses 17 ans parmi soixante et un bâtards et bâtardes, traçait son origine d'un mauvais fils de famille qui, après des années dans la chambre de l'aumône de la prison de la tour Saint-Pierre à Lille, était venu suer son péché à la Guadeloupe. Ni usinier, ni grand planteur, mais cultivant sa terre lui-même, il avait vécu comme une bête. Quand Marisia vivant aux Hauts-Fonds, passait sur la route avec Florimond, son petit frère, elle voyait le toit rouge de sa maison, à moitié cachée sous les gommiers rouges et les amandiers pays. Elle ne pouvait s'empêcher de penser à un conte; l'histoire d'une mauvaise bête qui ne sortait que dans la noirceur de la nuit pour fondre sur ses victimes. Alors, elle ne savait pas que, par deux fois, la bête s'était attaquée à sa mère et que Florimond et elle étaient issus de ces combats-là. Peut-être l'ascendance maternelle est-elle aussi importante que la paternelle?

Mais Arthé n'avait aucune envie de vivre en Guadeloupe. Toutes ces histoires du morne Verdol l'ennuyaient. A dire vrai, elle en avait assez des nègreries des nègres. Elle ne rêvait que de s'envoler avec Spéro pour Paris. Est-ce qu'il n'était pas français? Elle-même revendiquait tout le sang qu'elle tenait de son aïeul planteur de Saint-Domingue réfugié en Lousiane après les victoires exemplaires de ceux que l'on sait. Makandal. Boukman. Toussaint-Louverture. Dessalines et les autres. Est-ce que Paris n'est pas la capitale où la couleur n'est plus douleur? Joséphine Baker, Richard Wright, Sydney Bechet, James Baldwin et tant et tant d'autres étaient là pour en donner la preuve. Spéro, comparant ses propres souvenirs moroses à ces mythes made in USA, hésitait tant et tant qu'Arthé se lassa. Elle était partie dormir dans le lit d'un autre homme et Spéro s'était consolé dans l'alcool qui ne le consolait pas. Le volet de la fenêtre claqua à grand bruit. Sournoise, la nuit s'était amenée avec la pluie et enserrait tout l'espace dans ses griffes de *malfini*. Au matin, c'est après un sérieux combat qu'elle les desserrait pour laisser la place à la clarté du jour. La pluie s'attarderait encore, remplissant les creux des chemins et vernissant les feuilles des arbres. Est-ce qu'il ne ferait pas mieux de remonter à sa chambre et de s'engourdir tout seul dans ses draps? Il s'engagea dans l'escalier, mais s'arrêta sur le palier du premier étage, tourna la poignée de la porte de la chambre d'Anita, puis entra comme un voleur. Au-dessus du lit que cet intrus de Ken occupait quelquefois, il avait accroché une de ses toiles, inspirée de la petite fille du Douanier Rousseau. Anita à cinq ans. Une poupée dans sa main droite. Une marguerite dans la gauche. Robe rouge à pois. Ruban rouge dans les cheveux. Assise au milieu d'un jardin planté d'azalées et de zinnias. Le regard fixe et apeuré. Subtilement belle de sa beauté qui n'allait se révéler que des années plus tard. Spéro, qui ne donnait pas cher de ses propres créations, aimait cette toile. Il l'avait longuement peaufinée pour une exposition de la Nouvelle Peinture noire qui devait se tenir à New York et plaçait beaucoup d'espoirs en elle. Mais en fin de compte les organisateurs, par une lettre courtoise, lui avaient signifié qu'ils n'en voulaient pas. Pas plus que des deux autres toiles qu'il leur proposait. Dans son dépit, il l'avait exposée à Savanah. Cette fois, les critiques n'en avaient même pas fait mention.

Si une de ses femmes l'avait mal aimé, c'était bien Anita! Et maintenant, qu'est-ce qu'elle cherchait? Une lampe allumée à la main au grand jour de l'Afrique? Quelque chose qu'il n'avait pas su lui donner — et Debbie non plus malgré ses grands discours? La signification d'être noir?

Pourtant, cela a-t-il encore une signification?

Un jour de ses six ans, et ce jour-là était gravé dans sa mémoire, il revenait du Bas-du-Fort avec Justin. Quand Justin était dans ses bons jours, il emmenait son *ti-mal* nager à la brasse avec lui dans l'eau de la mer aussi chaude que le ventre d'une lapine. A vrai dire, l'enfant s'enterrait dans le sable et regardait la tête de son père s'amenuiser petite, petite au-dessus des vagues en lui donnant de grands coups au cœur à chaque fois qu'elle disparaissait. Tout ce bleu, toute cette écume lui faisaient peur. Et puis, se baigner en slip de coton cousu par Marisia! Les autres enfants avaient quant à eux des maillots en jersey! Après le bain, Justin rejoignait d'autres gosiers en pente et en feu à toute heure du jour et de la nuit à La Voilure, un rendez-vous des pêcheurs du Carénage où il avait ses habitudes. Pendant que Spéro s'ennuyait dans un coin avec un verre de sirop d'orgeat, Justin gagnait en vitesse une ou deux parties de dominos ou de dés, tout en vidant trois ou quatre secs. Quand il se décidait à reprendre le chemin du morne, la route était longue, longue pour Spéro déjà fatigué par tout cet azur qu'il avait bu. Un jour, on avait traversé le pont de la Voûte, dit pont Caca, longé toute la rue Dugommier et on remontait le canal Vatable. La sueur ruisselait le long du dos de Spéro, collant sa chemisette à ses omoplates et se mêlant au sel séché sur sa figure. Pendant ce temps, toutes qualités de voitures américaines, des Oldsmobile ou des Dodge ou des Studebaker, le dépassaient avec leurs bienheureux occupants en linge sec et casque colonial, soulevant sous leurs roues des paquets de poussière, fluide comme la farine de froment et l'obligeant à monter en hâte sur le trottoir. Il réfléchit dans sa tête. Au bout d'un moment, il prit son courage à deux mains, pressa le pas pour rejoindre Justin qui marchait devant lui, campé sur ses grandes jambes, d'un pas balancé et lui demanda :

— Papa, papa! Pourquoi on n'est pas des blancs?

Justin ne savait pas ce qu'être sévère veut dire. Quand Marisia envisageait seulement de toucher un de ses enfants, il lui saisissait le bras et la menaçait des coups qu'elle voulait donner. Néanmoins cet après-midi-là, ce fut lui qui dégrafa le

large ceinturon qu'il bouclait autour de sa taille
et qui zébra le cuir de Spéro. Les voisins accou-
rurent apeurés, croyant qu'il était décidé à en
finir avec son garçon. Après cela, pinçant le lobe
de son oreille entre ses ongles de silex, il le
conduisit devant la photo de la salle à manger et
lui donna sa première grande leçon sur la parti-
tion du monde.

L'enfant tout endolori ne l'écouta pas trop et
se coucha sans dîner, punition ajoutée de bonne
grâce par Marisia. Il se sentait victime d'une terrible injustice. Qu'avait-il voulu dire? Tout simplement : Pourquoi ne sommes-nous pas riches?
Pourquoi n'avons-nous pas une voiture pour nous
obéir et nous porter là où nous le voulons? Pourquoi habitons-nous sur le morne Verdol parmi
les malheureux alors que d'autres se carrent dans
des maisons blanches et arrosent les bougainvil-
lées rouges de leur jardin? Pourquoi mangeons-
nous jour après jour des racines mouillées d'un
peu de court-bouillon de poisson alors que
d'autres se gavent avec des pommes France?

Le lendemain, comme si l'offense était vraiment trop grave, Justin mit Spéro assis devant lui
et lui décrivit toutes les horreurs du passé. Les
murailles de Gorée n'avaient ni yeux pour voir
les souffrants ni oreilles pour entendre leurs
plaintes. Les requins dansaient en rond autour
des navires, guettant les corps morts que les
hommes d'équipage jetaient par-dessus bord. Ils
les happaient au vol et les coupaient en deux d'un
seul coup joyeux de leurs mâchoires cisailles. Ni
Pater ni Noster. Les vagues de la mer ne sont
que des linceuls. Les négresses enfonçaient leurs

ventres en obus dans le ventre mou de la terre qui étouffait aussi les cris de leur douleur. La pimentade grésillait dans les chairs. Ni Ave ni Maria. Au bout de sa corde, parmi les fleurs rouges et les gousses noires, le *mawon* au corps laqué de sang faisait ses cabrioles. Ni Agnus ni Dei. La faute à qui tout cela? Hein, la faute à qui? Est-ce que Spéro avait aussi oublié pourquoi l'ancêtre avait perdu son royaume? Son beau grand royaume. Le royaume d'Alada. Le royaume des descendants d'Agasu. Les descendants de la panthère avaient émigré vers l'est, emportant les objets sacrés, le trône royal creusé dans du bois d'iroko, les lances magiques de Tengisu et la statuette représentant l'ancêtre-animal. Puis ils avaient fondé ce royaume au-delà de la rivière, ce royaume sur lequel le soleil ne se couchait pas. Ce royaume qui allait depuis les monts Mahi jusqu'à la mer. Depuis le Couffo jusqu'à l'Ouémé. Est-ce que Spéro avait oublié la désolation de ses jours? Le corps d'Hosannah ne l'avait pas consolé bien longtemps. Ni même les petites mines de Djéré. Certes, il adorait l'enfant. Il le prenait dans ses bras et se distrayait de ses facéties. Mais au bout d'un moment, comme si l'enfant pouvait le comprendre, il se mettait à radoter sur le temps qui n'était plus. Il avait nommé un de ses frères général de ses armées et celui-ci avait battu à plate couture tous ceux qui osaient relever la tête devant les Aladahonu. Alors, on n'avait pas pu compter les hommes faits prisonniers et réduits en esclavage. Ni ceux livrés aux trafiquants qui naviguaient sur la mer en échange de pipes, de couteaux à lames d'acier, d'eau-de-vie.

Après le départ du prince Adandejan pour
Kutome, quand la noirceur du deuil eut totalement
envahi son esprit, l'ancêtre ne faisait que chanter
la chanson qu'ils avaient composée ensemble sur
l'amitié. A la dernière parole, son cœur éclatait
de douleur. A présent que son *honton* l'avait quitté,
qui procéderait à sa toilette mortuaire? Qui
immolerait son bélier? Qui distribuerait kolas,
kauris et boissons? Puis il se rappelait qu'il se
trouvait dans cette terre d'exil où tout rituel était
inconnu et il pleurait de plus belle.

La reine Fadjo se tourmentait, car elle le sentait, cette situation ne pouvait plus durer. Puisque
Hosannah n'avait servi de rien, elle chercha
d'autre remède. Un temps, elle crut trouver une
solution dans la prière au bon Dieu et un jésuite,
le R.P. Delaumes devint fréquent à Bellevue. Il
s'entretenait interminablement avec l'ancêtre. Il
lui parlait du ciel et de l'enfer. Il lui faisait confes-
ser des péchés imaginaires et lui faisait joindre
les mains sur des livres de prières. Il l'engageait
à recevoir le saint sacrement du baptême et à se
préparer à une bonne mort par la mortification.
L'ancêtre sortait plus triste encore de ces conversations et hanté par l'idée de ses fautes. Un jour,
la reine Fadjo apprit que le *gadé dzafé* Zéphyr
Marbœuf avait trouvé son maître en la personne
de Troisfois Chéri, un Haïtien celui-là. Troisfois
Chéri était arrivé à Fort-de-France en clandestin
depuis Calvaire Miracle, le jour même de la fête
des Morts, comme pour bien signifier qui il était.
Les gens disaient qu'il servait des deux mains à
la fois grâce aux *loas* de son pays. La reine Fadjo
alla le chercher elle-même dans le bouge du quar-

tier La Trenelle où il essayait de cacher ses pouvoirs, tout juste signalé par un drapeau rouge à Ogoun.

Pendant la dernière année que l'ancêtre passa dans son exil martiniquais, Troisfois Chéri mangea la maigre rente que lui versait le gouvernement français pour l'entretien de sa famille en remèdes et tentatives de sauvetage. Il commença par lui nouer à même la peau du bras gauche un « mouchoir monté » de la couleur d'Ogoun – couleur obtenue par des décoctions connues de lui seul – et lui attacher serré autour du cou un collier de perles de porcelaine du même rouge. Il s'entretint à distance avec les *loas* restés au pays, car le cas était difficile. Matin après matin, il exigeait des poulets tout de blanc vêtus et des cabris à la robe sans tache, marquée seulement d'un point de feu entre les deux yeux. Il les abattait d'un seul ahan de son long couteau puis faisait gicler leur sang à travers le jardin avant d'en badigeonner le bas des portes et des fenêtres de la villa. Terrifiée, la princesse Kpotasse s'enfermait dans sa chambre, dont elle baissait les persiennes. Troisfois Chéri exigeait également des dames-jeannes de rhum agricole, mais celles-là il les emportait chez lui et personne ne savait ce qu'il en faisait. Au bout de mois et de mois de travail, il se leva debout de toute sa hauteur, jeta son chapeau *bakwa* par terre et jura :

– *Io two mové! Sé blan-la two mové!* *

Puis il quitta la maison pour ne plus y revenir.

Le vieillard s'efforçait malgré tout de ne pas

---

* Ils sont trop mauvais. Les blancs sont trop mauvais!

perdre espoir. Il ne voyait pas pourquoi les Français lui refuseraient plus longtemps un bien que lui avaient légué ses ancêtres et qui n'appartenait à personne d'autre. Quand il avait fini de dicter à Ouanilo ses interminables lettres, il juchait Djéré sur son genou et lui décrivait les grandes funérailles qu'il ferait célébrer à l'intention de son père dès qu'il serait de retour au pays.

On élèverait un lit paré de tout ce que le défunt avait de plus précieux et on y placerait un mannequin enveloppé de toutes sortes de riches étoffes. Ensuite, on creuserait une immense fosse devant le palais d'Abomey avec un orifice d'entrée par lequel un seul homme pourrait passer. On assemblerait cent victimes auxquelles on couperait la tête, vlan! d'un seul coup de sabre. Avec leur sang, on pétrirait la terre d'un cercueil. On y placerait la dépouille du roi que l'on descendrait dans la fosse, avec du corail en quantité, de l'eau-de-vie, du tabac à fumer, des pipes, des chapeaux au point d'Espagne, des boîtes à tabac, en or et en argent, trois cannes à pommeau d'or et trois autres à pomme d'argent. A la suite, on descendrait quatre-vingts épouses de panthère en pleurs se bousculant pour participer au sacrifice et cinquante gaillards auxquels on briserait d'abord les jambes.

Après dix-huit lunes, on ouvrirait le cercueil et on montrerait au peuple le squelette du roi. De nouveau on sacrifierait des victimes, trois cents environ ; avec leur sang, on construirait une case semblable à un grand four à l'intérieur de laquelle on déposerait le crâne du roi défunt.

En fin de compte, aucune de ces merveilles n'avait été réalisée. L'ancêtre était mort dans la désolation de l'exil algérien et il n'avait pu offrir à son père les cérémonies que sa grandeur méritait.

A qui la faute, hein? A qui la faute?

D'accord! D'accord! Mais toutes ces histoires-là dataient du tan lontan. Les choses n'étaient plus aussi simples et le pauvre Justin n'était plus à la page. Au jour d'aujourd'hui, il ne manquerait pas d'histoires où victimes et bourreaux avaient même couleur. Il suffisait de feuilleter les pages des journaux, de regarder les informations de la télévision, d'avoir des yeux qui voient et des oreilles qui entendent pour s'en convaincre. C'était cette évidence-là, aveuglante pourtant, que Debbie prenait comme un sacrilège. Leur dernière querelle datait d'environ huit mois. Debbie lui avait jeté à la tête tant de paroles qui ne sont pas bonnes à dire que Spéro avait une fois de plus pensé à rentrer chez lui. Au diable le mauvais orgueil! Après tout, il ne serait pas le premier immigrant à retourner au pays les deux mains vides! Le monde est plein de gens partis chercher la fortune et qui ne gagnent que la misère. Au bout de quelque temps, pourtant, la lucidité lui était revenue. Inutile de rêvasser : certains voyages n'ont pas de retour. Ils butent sur la tombe qu'un jour ou l'autre on creusera au bout de l'existence de chacun d'entre nous.

A la saison d'hiver dernier, le *Black Sentinel of Charleston* avait signalé le génie d'Alan Rowell, un jeune musicien noir de Chicago qui faisait une tournée dans le Sud. Il avait mis en musique les poèmes de Rita Coblens, deuxième noire de l'histoire de la littérature à obtenir le prix Pulitzer pour avoir mis en vers l'histoire de sa famille et de sa migration des fermes exploitées du Sud aux ghettos du Nord. En général, Spéro éprouvait la plus grande méfiance pour les enthousiasmes de *Black Sentinel* qui depuis trente ans, envers et contre tous, répétait avec le même entêtement que *black* voulait dire *beautiful*. Pourtant l'article s'accompagnait d'une interview où Alan répondait avec beaucoup d'irrévérence aux sempiternelles questions ampoulées des journalistes sur la mission de l'artiste et le sens de son art, le rapport à la tradition, le lien avec l'Afrique mère et, intrigué, Spéro avait suivi Debbie au concert. Cela faisait bien longtemps qu'ils ne s'étaient pas assis, Debbie et lui, côte à côte, dans la salle de Poplar Street où ils étaient réguliers au début de leur mariage. Cette salle se vantait d'avoir abrité une représentation de *Porgy and Bess* avec Abbie Mitchell en personne. Elle était surchauffée et solennelle avec ses lustres de cristal, ses fauteuils de velours grenat à hauts dossiers et son escalier monumental dont la cage était tapissée des photographies des gloires de la musique noire : W.C. Handy, Scott Joplin, Bessie Smith, William Grant Still... Rien n'avait changé avec le temps. C'était à présent comme hier les mêmes lumières, les mêmes bavardages, la même cohue. Les sosies des habitants du morne Verdol s'étaient donné rendez-vous, attifés à la mode USA, les voisines ayant troqué leurs « choux » ou leurs « carreaux patate » pour des échafaudages de bouclettes et de crans soigneusement décrêpés et graissés, leur « gaule » d'indienne pour la soie et le lamé et leurs sandales pour des talons échasses ; les voisins, quant à eux, avaient endossé l'habit, garrotté leur

cou d'un nœud papillon et enfermé leurs pieds
dans des bottines de beau cuir. Le raciste qui a
dit que tous les noirs se ressemblent n'était pas
si raciste que cela, après tout. Le cœur de Spéro
s'emplissait de nostalgie. Il regardait Debbie, sa
figure qui n'avait jamais été vraiment belle, mais
qui telle qu'elle était lui avait fait tellement d'effet
avec ses sourcils en barres parallèles étirés au-
dessus de ses yeux noirs, brillants, à tout moment
mélancoliques, sa bouche bien en chair et sa fos-
sctte dc tendresse au menton. Il se rappelait son
étonnement amusé d'autrefois en croyant retrouver dans ce cadre nouveau des personnes connues
depuis l'enfance et qu'il avait envie de saluer d'un
Sa ou fè? Qu'est-ce qui s'était passé pendant ces
vingt-cinq ans? Pourquoi est-ce qu'il sc sentait au
jour d'aujourd'hui si solitaire, si étranger? C'est
que brutalement, ceux qu'il croyait reconnaître
pour voisins et voisines avaient jeté les masques
et montré la réalité de leurs figures grimacières
et menaçantes. C'est que brutalement, leurs
regards et leurs doigts lui avaient montré la porte.
On ne fait fête qu'aux vainqueurs, c'est connu!
Pourquoi s'embarrasser d'un faiseur de croûtes?

Tout à ses pensées, il écouta à peine la musique
d'Alan et ne sut pas s'il méritait l'ovation qu'on
lui faisait. Quand ils quittèrent la salle de concert,
des torrents d'eau tombaient sur Charleston. Les
lumières des lampadaires flottaient pareilles à des
bouées accrochées à la mer et les autoroutes se
creusaient, s'élevaient comme les vagues d'une
tempête. Tout en conduisant sa 4 x 4 d'une main
ferme, Debbie ne tarissait pas d'éloges sur Alan
et il savait deviner la signification cachée derrière

chacune de ses paroles. Celui qui ne sait pas voir la beauté dans le monde ne peut produire que des œuvres mesquines, médiocres et que les cœurs rejettent. Celui qui ne possède pas la chaleur de la foi en l'existence ne peut pas créer. Car créer, c'est croire. Croire, c'est vivre.

Au bout d'un moment à entendre ces aphorismes, la patience de Spéro s'était lassée. Il avait persiflé. Que de bruit pour un misérable faiseur de bruit!

La colère d'une femme, disent les Anciens, est un torrent qui déborde. S'il connaissait par cœur ce que lui reprochait Debbie en paroles comme en silences, paresse, laisser-aller, manque d'ambition, cynisme, nihilisme, il n'était pas préparé à certaines accusations nouvelles. Quoi? Elle le tenait pour la cause du départ d'Anita et surtout de ce silence qui leur mettait les cœurs en agonie?

Spéro fixa le portrait de sa fille dans les yeux comme s'il n'avait pas devant lui deux ronds de peinture, brillants et aveugles, mais les prunelles d'un être vivant, capable de répondre à ses questions et de le disculper entièrement. C'est vrai qu'il avait été un mauvais père?

Sur le morne Verdol vivait Amédée, papa violeur. Il avait donné un ventre à sa première fille Emma; puis à la deuxième Emmeline. Les voisins discutaient du cas à longueur de journée, les hommes tout prêts à lui trouver des excuses. Après tout, c'est lui qui les avait faites! Il pouvait s'en servir comme il le voulait! Les femmes étaient plus rétives et choquées. Méralda, sa compagne et la mère des enfants, allait et venait comme si elle ne s'occupait pas de ce qui se passait dans sa

maison. Quand Amédée s'approcha de la troisième fille, toujours dans les mêmes intentions,
elle lui planta un couteau à gratter les cochons
dans le ventre. L'opinion publique et les juges
venus de France l'acquittèrent d'une même voix.
Une femme peut tout pour protéger son enfant.
   Si Debbie accaparait tant Anita, était-ce donc
pour la protéger de lui?

   Pourtant, il fut un temps, il portait un cœur
rouge comme un soleil dans sa poitrine et ses
rêves poussaient fournis comme les cheveux sur
sa tête. A quoi rêvait-il? Il ne le savait pas exactement. Simplement à ne pas finir comme Justin
et Djéré sur le morne Verdol; à respirer un air
plus bleu, plus vif que ces deux-là; à montrer à
tous ceux qui l'avaient pris pour un vivant ordinaire, l'enfant de Justin Wa Maj, quel était son
sang en réalité et quelle qualité d'homme il était
pour de vrai. A y bien réfléchir, subtilement, les
choses avaient commencé de changer depuis des
années d'études après sa visite à Paris à M. Bodriol.
Quand cet homme-là l'avait éconduit comme un
plaisantin, il avait détruit tout ce qui faisait la
charpente de son existence.
   Après cet entretien, il n'était pas retourné tout
de suite à Lille, mais était resté à Paris terré dans
son hôtel de la rue de Rivoli. Toute la journée,
pendant que la pluie jamais fatiguée cognait contre

les vitres, il s'interrogeait. Après tout y avait-il réellement cru, aux bêtises de Justin? Avait-il donné vraie foi aux Cahiers de Djéré? Est-ce que tout cela n'avait pas simplement alimenté son imagination d'enfant, puis d'adolescent? Peut-être. Mais l'imagination est la souveraine. C'est elle qui nourrit les rêves qui à leur tour nourrissent le cœur et guident la vie. Si elle dépérit, la vie aussi dépérit.

Il ne pouvait rester tout le temps enfermé.

A la nuit tombée, la faim le prenait et il était bien obligé de sortir. Il marchait, tête nue sous la pluie, et dînait dans le premier restaurant venu. En le voyant arriver, les serveurs se disaient :

— Encore un sale Arabe! Pourquoi est-ce que ces gens-là ne restent pas dans leur pays?

Il finit par retourner à Lille. Pourtant sa vie n'y fut plus la même. Jusque-là, dans sa timidité, il n'avait jamais osé aborder les Africains et les regardait de loin. Soudain, pareil à une mouche à miel, il se mit à fréquenter les endroits où ils s'assemblaient pour parler leurs langages et danser leurs musiques. Personne ne le mit dehors et, même, certains lui adressaient des paroles amicales et mystérieuses :

— Cousin, tu es algérien? Nous sommes avec toi!

Intrigué, lui qui ne s'était jamais intéressé à la politique, il finit par savoir qu'une guerre féroce opposait l'Algérie à la France et qu'on comptait déjà un million d'Arabes en charnier. Une nuit qu'il buvait sa troisième bière, une femme aux yeux de soie et de deuil vint s'asseoir à sa table. Elle s'appelait Youmma et se disait princesse d'un royaume perdu dans les sables quelque part entre Nioro et Horodougou, chassée de son pays par la nouvelle démocratie. Pendant quelque temps, elle avait vécu au quartier de l'Horloge, à Bruxelles, sous la coupe d'un maquereau congolais. Finalement, elle s'était enfuie et avait franchi la frontière dans un wagon à bestiaux, serrée entre deux vaches à lait. Malgré sa grande envie, Spéro ne fit jamais l'amour avec elle. Simplement, chaque soir, elle venait s'asseoir à sa table et elle lui parlait :

– Cousin! Tu ne sais pas comment il est, mon pays. Plat comme le plat de la main. Les vaches y sont plus belles que les femmes et les hommes leur chantent l'amour. D'octobre à juin, l'harmattan souffle sa grande haleine brûlante qui allume la soif et attise les incendies. Tout partout, les dunes glissent les unes sur les autres et le pays se couvre de plis de sable. Le sable est un linceul sans coutures. Il ne laisse pousser que l'acacia « raddiana » qui éteint le feu des gorges et donne aussi des cordes pour amarrer, des mortiers et des pilons pour piler le mil qui nous nourrit. Mon père n'avait que la peau sur les os. Il portait le pan de son burnous en laine grège rabattu sur ses yeux. Tout le jour, il lisait dans le texte le *Jawahir-al-ma'ani* et crachait dans une calebasse la salive de sa bouche. En silence, ma mère agenouillée à deux genoux posait devant lui les noix de la kola. Il lui a tout de même fait sept enfants. Quand? De quelle manière? Je ne sais pas! Je suis la dernière.

Spéro, prenant son courage à deux mains, s'enhardissait à lui poser des questions. Alors, elle hochait la tête :

— Cousin, cousin! Tu te moques. Est-ce que tu ne sais pas ce que nos pays sont devenus?

Et elle lui énumérait la liste déjà longue des présidents déposés, des ministres en fuite et des soudards triomphants. Oui, tout avait commencé à partir de ce temps-là, et c'est un Spéro déjà bien changé qui était revenu au pays trois ans plus tard. Il se leva, referma la porte derrière lui et monta au deuxième étage.

Autour de lui, le silence faisait vibrer la maison d'une rumeur confuse, comme si tous ceux qui pendant des générations s'étaient aimés ou haïs, avaient connu la souffrance ou la joie donnaient voix tous en même temps à leurs expériences.

Debbie l'avait relégué tout là-haut dans une chambre où le soleil n'entrait jamais et qu'avaient dû occuper des enfants du temps que la maison de Crocker Island abritait une tribu de Middleton et non pas un seul couple désuni.

Elle l'attendait comme il l'avait laissée le matin. Le lit qu'on aurait cru piétiné par ses cauchemars. Les draps et les couvertures en désordre. Les oreillers bosselés. Une vapeur d'humidité accrochée un peu partout. Il s'approcha de la fenêtre et le *malfini* de la nuit volant à hauteur de regard le saisit dans ses serres puissantes. Et s'il l'emportait jusqu'à sa *krazur* de terre exilée en mer des Caraïbes? Décembre! Les cannes ne flèchent pas encore et la terre malmenée par les mauvais vents d'hivernage est en eau. Les cochons qu'on engraisse se gavent de « racines » sans savoir que la mort vient.

Où était Debbie qu'il avait tant aimée?

A cette heure, elle devait prendre congé de Jim pendant que les danseurs en nage retiraient leurs collants. Il l'accompagnait jusqu'à sa voiture et ils échangeaient un baiser, chaste comme celui d'un frère et d'une sœur. Elle s'en allait en trombe et faisait un crochet par George Street à l'autre bout de la ville pour passer quelque temps avec Paule. Paule et Debbie s'accordaient à merveille pour suffoquer Chaka d'attentions. Elles le faisaient dîner, surveillant sa diète et le forçant à avaler de grands verres de jus de fruits vitaminés. Elles vérifiaient la température de l'eau de son bain, le frictionnaient, lui enfilaient son pyjama. Ensuite, elles le mettaient au lit et tandis qu'il bâillait déjà, engourdi par toutes ces dévotions, elles se relayaient pour lui lire une histoire comme à un tout petit enfant.

Quand il avait pris sommeil, elles s'asseyaient en face l'une de l'autre dans le living-room et bavardaient. De quoi, Seigneur? Sachant ce qu'elles savaient, ce que l'une cachait à l'autre, comment pouvaient-elles se dire amies? De quoi pouvaient-elles s'entretenir?

Mais, précisément, des hommes! C'étaient bien eux qui les liaient l'une à l'autre. Leurs méchancetés, leurs mesquineries, leurs mauvais coups infligés à toutes les deux. Pour commencer, elles parlaient de l'ancien mari de Paule, un conducteur d'autobus qui des années durant l'avait humiliée et rouée de coups, séduit par sa peau presque blanche et sa coulée de cheveux, avant de l'abandonner pour une Portoricaine, mère de six enfants, sa voisine de palier. Puis elles en venaient à lui, Spéro, qui ne valait guère mieux. Debbie racontait son infamante liaison avec Tamara Barnes, venant après tant et tant d'autres, et comment elle ne l'avait pas toléré. A partir de là, elles étaient complices pour le moquer; pour le critiquer; pour comparer cruellement ses prouesses. Dieu! Que les femmes ont la force! Ce qu'il avait d'abord pris comme une victoire sur Debbie se retournait contre lui et n'était qu'une défaite de plus. Il avait fait de Paule et Debbie un portrait moqueur qu'il n'avait montré qu'à Linton et qu'il avait appelé « L'embarras du choix ».

Deux beaux morceaux de négresse, les mains jointes à hauteur de poitrine, pareillement vêtues d'aubes blanches et les cheveux défaits, recevant la visite de l'Esprit Saint, droites au mitan d'une rivière. L'une, Paule, plus claire, plus jeune et plus appétissante encore avec ses seins bien debout, ses épaules rondes et au bout de son cou annelé comme celui d'une femme peule, sa figure à la bouche avide et plantée de dents étincelantes. L'autre, Debbie, plus ample, plus majestueuse, faussement sereine, cachant sous ses airs inspirés la fringale de ses sens. Comment faisait-elle depuis qu'elle l'avait chassé de son lit? Elle aussi se réfugiait dans le bon Dieu? Il a bien à faire, le bon Dieu, de consoler toutes ces femmes noires esseulées, abandonnées par leurs hommes!

Pour la première fois, il songea à rompre avec Paule. Puisqu'il n'avait pu l'arracher à Debbie, il fallait la lui laisser, ainsi qu'à ce bon Dieu qu'elle servait si mal.

Spéro s'assit sur son lit. C'est vrai qu'il avait
été un mauvais père?

Quelques heures avant sa mort, l'ancêtre se
réveilla en forêt. La journée avait été pareille
aux autres; il avait fait son petit tour jusqu'à la
Médina et puis il s'était mis au lit de bonne
heure. Ouanilo s'était assis à son chevet et lui
avait lu des passages de *La Gloire du sabre* qu'il
aimait quand il était à Fort-de-France, mais qu'à
présent il ne semblait même plus entendre. Puis
il s'était retiré sans bruit, une fois que l'ancêtre
avait semblé endormi.

La forêt! Tout avait commencé par là. Tout
devait finir par là! Quand la reine Fadjo entendit
le vieillard gazouiller comme un enfant au berceau, elle sentit que le moment marqué pour sa
fin était venu. Elle s'approcha de son lit et il ne
la reconnut même pas. Tout content, les yeux
pleins de lumière, il fixait un endroit au-dessus
de sa tête. Alors elle décida de cacher la vérité
aux autres reines qui aimaient trop à se lamen-
ter, ainsi qu'à la princesse Kpotasse, tellement
émotive, et alla chercher Ouanilo, le garçon que
l'ancêtre avait toujours préféré à ses autres
enfants.

Ouanilo s'assit à la tête du lit de son père. Il
regardait son grand corps de bois d'iroko, autrefois si lourd, rendu léger, léger par le deuil de

l'exil et la souffrance, et son cœur était torturé. Quand son père passerait, comment pourrait-il, lui encore un enfant, seul au milieu d'une poignée de femmes, respecter les coutumes et célébrer dignement ses funérailes dans cette terre qui ne partageait pas leurs croyances. Il rédigeait par la pensée une longue lettre qu'il devait écrire une fois même au président Carnot pour demander le rapatriement de son corps au pays, mais son cœur était dans une telle souffrance qu'il n'avait pas la force de mettre ce projet à exécution. Il passait et repassait dans sa tête chaque mot de sa dernière conversation avec son père quand il était encore dans tout son sens à Fort-de-France. Son père lui murmurait en confidence que, parmi tous ses garçons, il l'avait choisi pour son héritier. Un jour, à son tour, il monterait sur le trône de Huegbaja et le monde s'inclinerait devant lui comme les herbes de la brousse sous le souffle du vent. Exalté, il avait lui-même promis-juré sur les *daadaa* qu'il ferait tout pour rendre à la dynastie le lustre qu'elle avait eu dans le temps quand son seul nom faisait trembler les plus grands guerriers. Hélas! il voyait bien à présent que cela ne se réaliserait jamais. Le soleil ne brillerait jamais plus sur le royaume d'Alada.

La reine Fadjo pendant ce temps ne prenait pas de répit. Elle faisait l'appel de tous les différents dieux qu'elle avait appris à respecter pour que l'ancêtre ait une bonne mort et trouve sans se perdre le chemin d'entrée secret et d'accès difficile de *Kutome.* Aussi bien les dieux des Aladahonu que ceux des Martiniquais ou ceux, turbulents, terribles et que rien n'arrive à mater, des Haïtiens. Ceux-là surtout! Sur le plancher dans un coin de la chambre, elle avait étendu une nappe blanche raide empesée et posé une assiette pleine de *manjé-loas*, maïs grillé, patates douces, viande, dragées, à côté de deux bouteilles de sirop d'orgeat. Elle n'oubliait pas non plus le dieu des blancs dont le R.P. Delaumes lui avait parlé et reparlé pendant ses leçons de catéchisme. Comme elle ne savait pas lire, elle s'était contentée d'ouvrir le Saint Livre à une page au hasard et était tombée sans le savoir sur le Livre de Job.

« Que ne suis-je mort dès le sein de ma mère!

« Au sortir de ses flancs que n'ai-je expiré!

« Pourquoi deux genoux se sont-ils présentés pour me recevoir,

« Pourquoi des mamelles pour m'allaiter? »

L'ancêtre, lui, continuait de roucouler comme un pigeon ramier dans la forêt. A 9 heures 33 très exactement, ce roucoulement s'arrêta.

La mort de l'ancêtre ne passa pas inaperçue. Les esprits généreux de toutes les nationalités furent émus. Français. Anglais. Espagnols. Et même quelques Américains qui adressèrent une pétition au président Theodore Roosevelt. La Ligue des droits de l'homme multiplia les protestations. A travers le monde, il semblait bien désormais que les peuples les plus faibles étaient bafoués par les plus forts. Est-ce que les Anglais eux aussi n'avaient pas exilé aux Seychelles Nana Agyeman Prempeh Ier, roi des Ashanti?

Lui aussi se promenait un parasol grand ouvert au-dessus de sa tête pour le soleil de Victoria.

Les yeux grands ouverts dans la noirceur, Spéro fixait le plafond soutenu par de grosses poutres et comptait. Pain. Vin. Misère.

Pain. Badigeonnées de blanc, les poutres de sa chambre de la maison du morne Verdol s'arrêtaient aussi sur ce mot : pain. Aussi, un moment, il ne sut plus en quel temps il se trouvait. Temps d'enfance? Temps d'âge mûr? Pourtant, il sentit son corps gourd et flasque autour de lui et se ressouvint de là où il était. En même temps, la mémoire de son mauvais rêve lui revint. Dans le temps ses nuits n'étaient pas habitées de cauchemars. Au contraire. Enfant de malheureux, en carême comme en hivernage, au gros soleil comme à la pluie diluvienne, il ne quittait jamais La Pointe. Les vacances se résumaient à un cerf-volant lâché dans le ciel au-dessus des sabliers ou des tamariniers des Indes du morne. Ou à un jeu de football dans le terrain vague derrière l'église Saint-Jules. Alors, pour se venger, dans la noirceur, il drivait et vagabondait la tête à peine posée sur l'oreiller. Des fois, il descendait des rivières, larges comme des bras de mer, claires comme cristal pétille, glissant au passage la main sous les roches pour réveiller les *ouassous*. D'autres fois, il traversait des savanes à goyaviers où des foufous falle-vert becquetaient les fruits à chair trop mûre. A certains moments, il montait à la tête des volcans et se baignait dans le torrent poisseux de leurs magmas. De tout là-haut, il regardait l'océan et se jurait de le traverser un jour jusqu'aux capitales de la richesse et du bonheur. Souvent aussi, il se couchait de toute sa longueur sur un radeau fait de cinq troncs de malimbé assemblés et abordait à un îlot habité par des grues couronnées qu'il capturait au lasso. Telles étaient les nuits de son enfance. Spéro ferma les yeux. Quand même, il aurait dû le savoir, qu'il n'était pas de force à mener combat contre Debbie. Il les avait tous perdus les uns après les autres, ses combats contre elle. Le premier, il l'avait livré et perdu pour la possession d'Anita. Il ne comptait plus les autres. Le dernier, il l'avait livré et perdu deux ans plus tôt. Anita était encore à Limann College, mais ne se manifestait plus que par de rares coups de téléphone pour s'excuser de ne pas venir les voir à Thanksgiving, à Noël, à Pâques. Le mois de mars précédant sa *graduation*, elle avait daigné revenir à Charleston; pourtant, dès sa descente d'avion, à l'expression de sa figure, Debbie et Spéro avaient bien compris qu'elle ne venait pas faire la paix avec eux, mais pour fuir un enfer qu'elle s'était créé. Des huit jours qu'elle avait vécus avec eux, pas plus que par le passé, elle ne leur avait adressé la parole. Elle avait passé le plus clair de son temps à tourner en rond dans le parc et enfermée dans sa chambre à s'entretenir au téléphone avec on ne savait qui et souvent en plein mitan de la nuit. La seule personne qui tout soudain trouvait grâce à ses yeux était Mamie Garvin qu'elle interrogeait longuement sur sa vie.

Sur ce point, elle n'était pas la première. Un

temps, Debbie avait eu dans l'idée de recueillir les paroles de Mamie Garvin comme elle recueillait celles d'Agnès Jackson et de publier ses mémoires. Elle l'avait même interviewée et avait adressé ce premier chapitre à un éditeur. Pourtant, pas plus que celui des Cahiers de Djéré, ce texte n'avait trouvé preneur, et l'idée n'avait pas eu de suite. Mamie Garvin venait de Kiawah Island, que l'on apercevait par beau temps, couchée de l'autre côté de la mer. Contrairement à Crocker Island, dans le tan lontan, Kiawah Island avait verdoyé du vert des plus prospères plantations de coton de la Caroline du Sud cependant que ses planteurs étaient les plus arrogants de tout l'État. Vers 1862, les armées de l'Union qui occupaient les îles avant d'entrer dans Charleston les avaient massacrés et avaient donné la liberté à leurs esclaves. Ceux-ci s'étaient aussitôt réfugiés tout à l'intérieur des terres, retrouvant leurs pratiques et leurs parlers du temps d'Afrique, se nourrissant de patates sauvages, de champignons et de porcs qu'ils élevaient et saignaient eux-mêmes. Quelques heures après sa naissance, Mamie Garvin avait été balancée par trois fois au-dessus de la tombe de son arrière-grand-mère et de sa grand-mère dans le petit cimetière noir de Sea Pines afin que leurs pouvoirs de guérisseuse passent dans son corps. Elle n'avait jamais été à l'école et, jusqu'à ses 16 ans, n'avait parlé que le gullah, une langue faite de mots africains et d'un peu d'anglais, pratiquement incompréhensible pour les étrangers. Peu à peu cependant, les descendants d'esclaves étaient partis chercher du travail à Charleston. Mamie Garvin avait tenu bon. Elle était restée au fond des bois avec les derniers rebelles, véritables nègres marrons, quand des promoteurs immobiliers venus de Charleston avaient envahi Kiawah Island pour la transformer en paradis touristique et y bâtir des hôtels avec piscine et casino ainsi que des terrains de tennis et de golf. Sans pitié, ils avaient chassé les autochtones des terres qu'ils occupaient. Debbie, qui avait plusieurs fois consulté Mamie Garvin à propos d'Anita, lui avait alors donné permission de se bâtir une case derrière les anciennes écuries en échange de quelques heures de ménage chaque jour. En prime, Mamie Garvin préparait de mystérieuses infusions à couleur de boue auxquelles Spéro ne touchait pas, mais que Debbie avalait docilement matin et soir. Elle faisait aussi brûler aux quatre coins de la maison de petits réchauds chargés de racines et d'aromates. Parfois, elle déparlait et prédisait le temps et les mauvais événements. De sa fenêtre, Spéro regardait la silhouette de son enfant aller et venir de la case de Mamie Garvin à la maison et se demandait pourquoi Anita était revenue alimenter leur chagrin. Est-ce qu'un jour cette incompréhensible distance qui était installée entre eux se comblerait? Une fois Anita repartie pour Limann College cependant, la vie à Crocker Island, sans cette peine qui lui donnait du sens, lui avait paru plus insipide encore. Un soir qu'il revenait de Charleston plus tôt que d'habitude, fatigué de traîner soir après soir par le Montego Bay, il avait trouvé Debbie dans la cuisine avec une toute jeune fille, une enfant à la vérité. Pareilles visites étaient fréquentes, car malgré ses déboires maternels,

Debbie ne se guérissait pas d'une manie d'essayer
envers et contre tout ses théories en matière
d'éducation. D'ailleurs, des parents la consul-
taient avec une entière dévotion comme on
consulte un sage. Irrité, Spéro allait monter à sa
chambre sans s'arrêter, quand la mine de la fillette l'avait retenu. On aurait dit un portrait
d'Adolf Dietrich. Chabine. Un grand front
bombé. Un regard secret et désespéré d'adulte
dans sa figure aux arrondis d'enfant. Des cheveux
hérissés en mille queues de rasta, encore jaunis
par le soleil et le manque de soins.

Elle disait s'appeler Roshawn Johnson. Sa mère
l'avait abandonnée peu après sa naissance et elle
avait été élevée par sa grand-mère qui, à présent
vieille et fatiguée de ses quatre cents coups, ne
voulait plus entendre parler d'elle. Son dealer de
copain venait d'en prendre pour dix ans. Elle
n'avait pu être convaincue d'aucune complicité,
mais les juges l'avaient tout de même placée à
Sunny Swamp, une maison de jeunes en difficulté,
en majorité noirs, où trois fois la semaine Jim et
Debbie portaient leur bonne parole de sociologue
et d'historienne. Les juges du tribunal pour
enfants avaient aussi recommandé d'apprendre à
Roshawn un métier : la mécanique.

Quand Spéro était entré, Debbie s'affairait
autour d'elle, comme une maman poule, croyant
peut-être qu'une grande chope de café chaud,
une tranche de gâteau aux pommes et des discours sur la grandeur du passé africain pouvaient
soigner les plaies que l'Amérique inflige à sa
minorité noire. C'est pour lui donner une leçon
et lui montrer toute sa naïveté que Spéro avait

d'abord entrepris Roshawn à sa manière, de son côté.

Qu'est-ce qu'il espérait pour lui-même? En vérité, rien de rien. Il avait toujours eu peur des jeunesses. Il ne savait pas leur servir de douces menteries, les persuader que la vie est belle et que demain amènera un soleil flambant neuf. Or ce qu'il n'avait pas prévu, c'est que peu à peu il oublierait son plan de vengeance contre Debbie et s'attacherait à Roshawn comme on s'attache à ceux qui sont en grande détresse. Au début, par ruse, il lui avait proposé de faire son portrait, proposition magique qui, d'après son opinion, devait lui ouvrir toutes grandes les portes de son imagination. Aussi, au début de l'après-midi, elle débarquait dans son atelier sans jeter un seul regard aux toiles accrochées aux cimaises. Elle ôtait sa vareuse et, dans son T-shirt rouge, crasseux au ras du cou, elle prenait la pose, avec indifférence, des heures durant sans dire un seul mot. Spéro rêvait de peindre tout nu son corps fragile comme un fœtus, mais n'osait lui demander d'enlever tous ses vêtements. Toujours dans le même silence, après la pose, elle venait dîner avec lui. Elle semblait apprécier les restaurants chinois et, maniant très enfantinement ses baguettes, elle se barbouillait la bouche de sauce au curry pour la plus grande joie de Spéro. Parfois, elle acceptait de le suivre chez Linton, mais s'ennuyait visiblement à écouter les plaintes de son saxo. Une fois même, il l'emmena au cinéma, mais elle regarda sans sourire les facéties d'Eddy Murphy. D'ailleurs elle ne souriait jamais et ne prononçait pas plus de paroles qu'une sourde-muette. C'est Spéro qui remplissait les silences de leurs tête-à-tête. Lui, peu causant de nature comme sa mère Marisia, en plus retenu depuis qu'il devait parler l'anglais par son mauvais accent et sa grammaire de fantaisie, il n'avait même pas besoin d'alcool pour devenir intarissable et parler pour deux. De quoi? Mais de tout. De lui-même. De son enfant loin, si loin de lui. De Debbie. Du grand naufrage de leur couple. Il aurait bien aimé lui conter d'autres histoires. Celles-là mêmes que lui contait Debbie, par exemple. Édifiantes, signifiantes, optimistes, pleines d'espérances et d'illusions jamais perdues. Mais il n'en connaissait aucune. Son répertoire à lui était limité comme celui d'un vieux chanteur qui ne ressasse que les mêmes blues. Une fois qu'ils dînaient au Palais de Jade, soudainement elle posa ses baguettes, releva la tête et sortit de son mutisme.

La Guadeloupe? Comment est-ce que c'était, ce pays-là? Est-ce que c'était pareil à l'Amérique? Est-ce que là-bas aussi il y avait des blancs?

Spéro resta saisi, pris de court. Des blancs? Oui, ma foi, il y en avait! Et même de deux qualités : les békés et les métros! A l'expression de son visage, il comprit l'impression que cette vérité produisait et s'empressa de réparer. Tout de même, cela n'empêchait pas ceux des autres couleurs de vivre leur vie à leur goût, de s'aimer, de faire pousser des enfants, de connaître le bon côté de l'existence. Et, là-dessus, Spéro s'était mis à décrire tant bien que mal un pays paradis, colorié, babillant, savoureux, odorant comme dans un article de *Partance*. Les *guiab* dévalaient les rues en saison de carnaval. Vaval est mort! Vive Vaval!

Le cœur du tambour, *gwo ka* battait à tout rompre. Blogodo-blogodo. Et les pêcheurs en *bakoua* fumant leurs petites pipes ravaudaient leurs filets sous les amandiers pays. Toutefois, il perdait sa peine et sa salive; elle ne l'écoutait déjà plus.

Toute la nuit, il tourna et retourna dans sa tête des questions qu'il ne s'était jamais posées. Comment parler en vrai de vrai de la Guadeloupe? Que dire de son cas? Soit! Le pays n'est plus l'enfer du tan lontan. Les békés des Habitations ne s'y engraissent plus de la sueur des nègres. Pourtant là-bas dans son palais de l'Élysée, le grand blanc Président fait toujours la loi. Dans son embarras, Spéro songea à se procurer quelque livre qui répondrait à ses soudaines interrogations et se rendit chez Marcus. Hélas! le rayon « Antilles » n'offrait que quelques exemplaires assez défraîchis de traductions d'un *Cahier d'un retour au pays natal* et de *Damnés de la terre* dont les premières lignes le rebutèrent singulièrement.

Peu après ce dîner, Roshawn ne parut pas à l'atelier. Du matin au soir, il la guettait en fièvre comme un adolescent à son premier rendez-vous manqué. Il allait se poster debout au coin de Meeting Street, là où l'œil commande l'enfilade de Market et Line Street. Il marchait jusqu'à l'arrêt de l'autobus 5 d'où elle avait coutume de descendre, réalisant dans un grand saisissement comment elle avait trouvé une place dans sa vie, comment sans elle ses jours retomberaient dans leur ornière d'ennui et de solitude. Au bout de deux ou trois semaines d'agonie, mine de rien, il se décida à interroger Debbie. C'était l'heure du petit déjeuner et du café *kiololo* auquel, en vingt-

cinq ans, il avait bien dû finir par s'habituer. Elle
releva la tête et le regarda dans le blanc des yeux.
Roshawn? Elle se portait à merveille et était bien
décidée à finir ses études de mécanique. Où elle
était? A sa propre demande, les assistantes sociales
et les juges du tribunal pour enfants l'avaient
envoyée dans une maison située à l'autre bout de
l'État. Là, elle avait la paix. Tout en donnant ces
nouvelles de sa voix de tous les jours, pas un ton
plus haut que l'autre, ses yeux le jugeaient, le
visaient, le fusillaient d'une charge de mépris qu'il
savait ne pas mériter. Ne pas mériter.

Pourtant que dire pour sa défense? Personne
ne le croirait. A l'unanimité, le jury des bien-
pensants, blancs et noirs confondus selon la loi,
déclarerait : « Coupable ». Et c'était vrai! Il avait
toutes les apparences contre lui. Coureur notoire.
Vieux corps d'ogre à l'affût de chair fraîche.
Même Linton qui, contrarié, ne croyant pas un
mot de ses protestations, le mettait en garde contre
les jeux avec des mineures qui ne sont pas des
jeux. Il ne revit jamais Roshawn. Son portrait
qu'il acheva de mémoire et baptisa « Rasta en
rouge » fut la seule toile qu'il vendit de toute la
saison touristique.

Roshawn! Anita! Jusqu'au jour d'aujourd'hui,
parfois, son cœur les unissait dans la même peine
comme si elles avaient été ses deux enfants qu'il
n'avait pas su garder à côté de lui.

C'est vrai qu'il avait été un mauvais père?

Dans le désordre, tous ses manquements, petits
et grands, revenaient défiler devant le tribunal
de sa mémoire. C'est vrai qu'il n'avait jamais
consenti à accompagner Debbie à ces fêtes où les

enfants se font chanteurs, acteurs, musiciens pour la plus grande fierté des parents ni au pique-nique annuel de l'école à Daufuskie Island. C'est vrai qu'il détestait Mickey Mouse et préférait les westerns où les blancs tuent les Indiens dans l'écarlate de l'hémoglobine aux films de Spike Lee. C'est vrai qu'il boudait tous les rallyes politiques, même ceux en faveur de Nelson Mandela.

Dehors, la pluie recommençait de tomber et il se décida à fermer la fenêtre qu'il avait laissée grande ouverte. Debbie n'allait plus tarder à rentrer à présent. Les phares de sa voiture découperaient deux ronds lumineux dans la noirceur et effaroucheraient les timides animaux de la nuit. Selon un rituel dont ils ne pouvaient se défaire envers et contre tout, il descendrait pour l'accueillir dans le hall ; elle lui tendrait sa joue, encore ferme et lisse ; ils échangeraient quelques paroles sans grande signification et puis chacun s'en irait vers la solitude de sa couche. Et s'il lui disait brusquement :

— Écoute-moi, recommençons la vie!

Mais à partir de quel moment?

Depuis le moment même de leur mariage?

On n'espérait plus d'embellie, car septembre avait été en eau. La pluie avait gonflé toutes les mares de la Grande-Terre et fait déborder les rivières de la Basse-Terre qui avaient charroyé vers la mer des flots épais et jaunes pareils à du mauvais pus. Des masures s'étaient retrouvées au fin fond des ravines, éventrées parmi les feuilles de siguine géante, les lianes grand-bois et les cailloux volcaniques. Les rues de La Pointe ressemblaient à des marigots et les habitants du morne

Verdol étaient fatigués de prendre des glissades dans la gadoue. Ceux qui étaient nés avant la Grande Guerre cherchaient vainement dans leur mémoire le souvenir d'un hivernage comme celui-là. Pourtant ce jeudi 28 septembre 1963, depuis 6 heures du matin, le soleil était à sa place attendue dans un ciel sans nuages. Sortant sur le pas de la porte et levant la tête pour inspecter tout ce bleu étalé au-dessus de lui, Spéro superstitieux prit cela comme un bon présage. Cela faisait plus d'une semaine qu'il ne pouvait ni dormir ni faire l'amour à Debbie qui, compréhensive, mettait cela au compte de l'angoisse. Il en était sûr et certain! A défaut du père mort et enterré, un oncle d'Amérique, une lettre, un télégramme viendraient barrer le chemin du bonheur. Car la future mariée était trop belle, trop bien née pour lui! Trop savante! Elle avait lu trop de livres! Elle connaissait trop de langues : l'anglais, le français et même l'espagnol qu'il l'avait entendue parler avec Roberto, le tailleur portoricain de la rue Frébault pendant qu'il prenait les mesures de son smoking.

Marisia coupait dans de la soie de Chine la robe que Debbie n'avait pas voulue blanche, mais couleur de perle, sans falbalas ni fioritures. Comme elle n'avait pas voulu d'une cérémonie solennelle un samedi, mais d'une messe de mariage toute simple à 10 heures du matin en plein milieu de la semaine suivie d'un verre de l'amitié. Spéro aurait bien préféré crier sa félicité à la face du morne Verdol, de La Pointe, de la Guadeloupe tout entière, louer le grand hôtel Diligenti qui venait d'être terminé. Un plancher de bal de

500 m² à danser biguines, valses et tangos. Mais il était trop *razeur*. Déjà Justin pour marier son garçon — dignement, même sans joie — avait porté chez l'Italien Berlucci les deux ou trois bijoux que dans le temps Romulus avait offerts à Hosannah et que la famille gardait serrés en prévision au fond d'un tiroir.

En vérité, les animaux ont plus de raison que les hommes! La mangouste ne songe pas à faire ménage avec le lapin! Ni le foufou falle-vert avec la pie grièche! Cela qui avait tellement tourné la tête de Debbie, l'entraînant dans la première folie de son existence de jeune fille rangée ne pouvait la séduire éternellement. Car les sédiments de toutes ces générations de vie Middleton à Charleston avant la sienne s'étaient déposés en elle couche par couche. D'une certaine manière, elle avait voulu terminer sa croisière interrompue. C'est pourquoi elle avait choisi de passer leurs quelques jours de lune de miel à la Dominique. Son guide touristique Baedeker grand ouvert devant elle, elle comptait les trois cent soixante-cinq rivières de l'île, une pour chaque saint de l'année; elle se perdait dans la forêt dense sous les hauts *pié bwa* et les fougères géantes; elle entraînait Spéro rétif et méfiant parmi tous ces nègres anglais jusqu'à la tête du morne Diablotin.

On naviguâ près de deux jours sur la mer. Le *Captain Morgan* poussait sa coque sur les vagues démentes avec des craquements tels que les passagers se croyaient à tout moment à deux doigts de la mort et récitaient en pleurant la prière des agonisants. Assise à l'avant, raide comme la figure de proue d'un drakkar, Debbie pressait des écorces de citron sur sa bouche sans couleur.

En plus de ses prix de pension modiques, le guide Baedeker accorde trois étoiles au Sweetbriar Lodge, à quelque vingt kilomètres de Roseau sur la route de la pointe Michel. Aussi ce n'était pas surprenant si des Américains blancs et noirs occupaient sans arrêt ses douze chambres avec vue sur la plage hérissée de galets gris et d'ixauras rouges. Les voisins de Debbie et Spéro s'appelaient Willard et Vivian. Ils venaient de Washington, où Willard était le premier noir à enseigner le droit à l'université de Georgetown tandis que Vivian, architecte, travaillait à la réhabilitation d'un des pires ghettos de la capitale. Willard était membre du Comité pour la prévention de la délinquance juvénile et ils étaient tous deux très actifs dans la « Guerre à la pauvreté » du gouvernement. L'année passée, ils s'étaient rendus au Sénégal pour préparer la tenue d'un très grand festival des Arts nègres. A ce titre, ils avaient été reçus par le président Senghor qui leur avait offert un exemplaire relié pleine peau de ses œuvres. Spéro s'imaginait naïvement que Debbie était venue sur la terre à 9 heures du matin, au dernier mois de juin, quand elle lui était apparue sous les amandiers pays des quais. Ni papa, ni maman, ni vie d'avant. Brusquement il se rendait compte qu'elle venait d'un pays d'ailleurs, que mille cordes invisibles l'amarraient en réalité à une famille, à un passé, à un peuple. Quand ils étaient ensemble, Willard, Vivian et Debbie ne s'occupaient pas plus de lui que les maîtres d'un cancre assis au dernier banc de la classe. Cela commençait depuis le verre de jus d'orange du petit déjeuner et prenait fin avec l'infusion de mille fleurs de l'après-dîner. Cela se continuait pendant les excursions en auto-char au cours desquelles le grandiose spectacle du paysage se mettait en frais pour rien, les bains à la mer, les dégustations de gâteaux de *titi-ri* et de punchs au fruit. Debbie était déjà en croisière quand la haine et la révolte avaient fait flamber Harlem et seule une lettre de sa mère trouvée poste restante à Saint-Kitts l'en avait informée. Avec Willard et Vivian, elle pleura sur quarante-trois morts.

Ce fut au Sweetbriar Lodge que, pour la première fois, le cœur de Spéro se crispa dans sa poitrine. Tous ces cadavres entre sa Debbie et lui! Toutes ces lances arrosant le feu d'incendies qu'il n'avait pas allumés! Voilà qu'elle prenait le temps de leur amour pour un temps de trahison! Voilà qu'elle ne pensait plus qu'à retourner en vitesse dans son pays d'émeutes et de violence! Il la serrait fort, fort dans ses bras, mais elle se dégageait et l'embrassait comme une grande personne un peu agacée par un enfant trop caressant. Pour la première fois, il eut la prémonition, vite renvoyée aux oubliettes de son esprit, qu'un de ces jours, elle pourrait bien avoir honte de lui. Et c'est pour conjurer cette honte naissant en cachette au fin fond d'elle-même qu'elle avait répété à Willard et Vivian ce qu'il lui avait confié dans le secret : l'histoire de l'ancêtre.

Oui, c'est à partir de ce moment-là qu'il aurait fallu prendre des décisions. Avoir une explication. Un long causer sérieux. Au lieu de cela, il se taisait; il écoutait; il regardait la mer, à présent douce comme une chatte, dont la fourrure tigrée moutonnait jusqu'à la Guadeloupe, que l'on voyait par temps clair.

Willard avait écouté les histoires de Debbie comme une de ces fariboles que les hommes racontent aux femmes pour se faire une place dans leur couche. Désormais, à chaque fois qu'il se trouvait face à Spéro, ses yeux le saluaient! Honneur et respect, frère! Tu es un mâle nègre. Vivian au contraire prenait cela très au sérieux, l'interrogeant sur ses souvenirs. Qu'est-ce qu'il avait ressenti quand, petit garçon, son père lui avait appris quel beau sang coulait dans ses veines? En discutait-il avec ses deux jeunes frères? Qu'en disaient-ils quant à eux? Quelle partie des Cahiers de Djéré lui procurait le plus d'émotion? Des fois, mine de rien, elle abordait des sujets tout à fait différents. Il allait donc s'installer en Amérique. Pensait-il qu'il s'acclimaterait à l'existence à Charleston, dans le Sud? Le Sud est une autre terre. On y pense, on y agit de manière particulière. Elle-même, née et grandie à Washington, ne pouvait s'y faire.

Conséquence de ce séjour à la Dominique et des rencontres qu'elle y avait faites, la Debbie qui revint pour quelques jours sur le morne Verdol commençait d'être une autre Debbie. Cette Debbie-là commençait de redevenir ce qu'elle avait été auparavant : la fille de George, le présumé martyr, et de Margaret, fille d'Andrew Putnam, prédicateur de l'Église baptiste de Samarie, bien connu pour la rectitude de sa vie.

Si Margaret avait été un garçon, Andrew aurait certainement voulu que son premier enfant marche sur ses traces et devienne à son tour un prédicateur. Mais voilà, elle était une fille comme les quatre autres rejetons dont Rosetta, sa femme, accoucha quatre étés de suite. En conséquence, il ne s'en occupait pas, prenant pour une vraie honte, une moquerie de ce Dieu qui aime tellement à éprouver les esprits et les cœurs de ceux qui L'aiment, que son sperme n'ait pas pu engendrer un seul fils et qu'il n'ait en tout et pour tout que cinq pisseuses dans sa maison.

Pourtant, toute fille qu'elle était, Margaret n'était pas une enfant ordinaire et, sans doute possible, l'Esprit l'habitait. Avant même d'avoir étudié la lecture, elle connaissait les Saintes Écritures et pouvait improviser des sermons à l'usage de ses petites sœurs. Elle récitait sans se tromper d'un seul mot le Livre prophétique de Daniel qu'elle aimait tout particulièrement. A l'âge de 10 ans, en plein mitan d'un service, elle était tombée en état et, revenue à la conscience, avait décrit par le menu et le détail ses visions. En tout point pareilles à celles de son bienheureux modèle. Les quatre vents des cieux sur la mer. Le lion avec des ailes d'aigle. L'ours. Le léopard avec quatre ailes d'oiseau. Les cornes avec des yeux pareils à ceux des hommes. A 14 ans, elle commença à lire dans l'avenir et Rosetta eut fort à faire pour empêcher les gens d'importuner son enfant, qu'ils prenaient pour une élue de Dieu. Margaret voyait le sexe des fœtus dès la troisième semaine, à peine formés dans le ventre de leur maman. Elle nommait les hommes ou les femmes dont la mort se préparait à aller barrer le chemin de vie de façon violente. Elle connaissait chacun de ceux qui essayaient de cacher un cœur de fornicateur ou d'adultère dans leur poitrine et portaient le mal en eux. (Les gens disent qu'ainsi, elle vit la mort de son propre mari à Stokane et l'en avertit. Toutefois comme il ne faisait aucune attention à elle, il ne prit pas ses paroles en considération et finit dans le sang.)

Comme la vie ne se lasse pas d'être surprenante! Margaret, cette jeune fille que l'on croyait marquée depuis le berceau par la prédilection de l'Esprit, réservée au seul saint usage de Dieu, à 16 ans rencontra George Middleton venu saluer un mort, en tomba éperdument amoureuse et se donna à lui dans des circonstances qui ne furent que très tardivement éclaircies. Quand elle s'aperçut qu'elle était enceinte, elle en perdit le boire et le manger. Les premiers temps, Rosetta ne s'en occupa pas, mettant cela au compte de ces états bienheureux dans lesquels sa fille avait coutume de tomber. Puis elle remarqua que, roulée en boule sur sa couche, le visage torturé, la bouche frémissante, l'enfant murmurait sans s'arrêter : « George, George! » Il n'y a pas de George dans les Livres prophétiques. Ni dans les Livres historiques. La malheureuse maman finit par découvrir la vérité. George Middleton n'avait aucune envie de se passer la bague au doigt, donc la corde au cou. Cependant quand Andrew Putnam l'eut menacé non pas des feux de l'enfer, mais d'un fusil de chasse calibre 12, il fut bien obligé de réparer.

Ortus, le premier enfant du couple, mourut à la naissance. Après quoi Margaret resta cinq ans stérile. Elle vit ce décès et cette stérilité comme le signe de la colère du Seigneur contre elle et, dès lors, ne s'habilla plus qu'en grand deuil. Quand Debbie, trois ans avant Farah, vint habiter son ventre, elle se jeta à genoux au pied de la Croix, se voyant réconciliée avec Dieu. Dès lors ses filles, son aînée surtout, furent la prunelle de ses yeux.

A peine eut-elle pris la mesure de Spéro à l'aéroport de Charleston, en cette fin d'automne de 1963, qu'instruite par son expérience de plus de trente ans, elle n'eut pas besoin de don de seconde vue pour prévoir l'existence que sa bien-aimée s'apprêtait à mener au côté d'un mari pareil. De ce moment, elle voua une haine féroce à Spéro et fit tout ce qu'elle pouvait pour ramener l'esprit de Debbie à la raison. Quel jeu Dieu joue-t-Il avec le cœur des femmes? Pourquoi veut-Il que les plus méritantes s'enflamment pour des propres-à-rien? Les plus vertueuses pour des vicieux? Les plus travailleuses pour des fainéants? Les plus tendres pour des endurcis? Les plus franches pour ceux qui mentent comme des arracheurs de dents?

A toute heure du jour et de la nuit, Margaret tournait et retournait ces questions dans sa tête. Dans la noirceur, incapable de dormir, elle guettait les craquements du lit de Debbie et Spéro, sachant que ce plaisir-là qui pour un temps fait illusion ne dure pas et que bientôt son enfant resterait dans la peine avec ses deux yeux pour pleurer. Au matin, servant un plantureux petit déjeuner de *grits,* de jambon fumé, d'œufs brouillés, de toasts et de marmelades diverses — en ce temps-là, on mangeait encore à Crocker Island! –, ses yeux fusillaient Spéro. A l'église, quand le prédicateur promettait l'enfer aux for- nicateurs et aux mécréants, elle se tournait osten- siblement vers son beau-fils. Elle ne crut jamais à cette histoire d'ancêtre, trouvant dans ces ridi- cules menteries une raison de plus de détester Spéro. Et puis, est-ce que tous les nègres ne des- cendent pas des Africains, rois ou pas rois? A chaque occasion, elle ridiculisait son accent, ses goûts, ses manières.

Spéro ne rendait pas à sa belle-mère méchan- ceté pour méchanceté. Il avait trop peur d'elle, avec sa haute taille, sa peau couleur de plume de merle, ses yeux brillants comme des signaux de détresse sur la mer, sa voix habituée à s'entretenir d'égale à égal avec l'Esprit pour le retenir d'aller trop loin. Et puis, il le savait bien, qu'il y avait maldonne. Il ne méritait pas sa fille!

Disons à la décharge de Debbie que, fille aimante et dévouée, elle ne la laissa pourtant jamais influencer son esprit! Margaret n'eut pas la satisfaction d'être le témoin de la désunion du couple. D'ailleurs du temps qu'elle était en vie, Spéro, mari parfaitement fidèle, faisait de son mieux. Après l'échec de son exposition « chez Marcus », il partagea son temps entre son atelier et l'enseignement du dessin à Corpus-Christi, une école catholique qui se vantait d'être intégrée parce que, outre ses trois cents élèves noirs, elle comptait une trentaine de blancs et quelques enfants d'émigrés cubains. Là, contrairement à ce qui se passait dans les établissements publics comme celui où enseignait Debbie, les adolescents vêtus d'uniformes étaient disciplinés et respectueux. Ils saluaient leurs enseignants d'un franc sourire et les regardaient sans paraître rien leur cacher dans le mitan des yeux. Les toilettes de collège n'empestaient ni l'alcool ni la marijuana.

N'empêche! Malgré leurs airs soumis, à la fin du semestre de printemps, les élèves présentèrent un épais cahier de doléances majeures et mineures au père supérieur. Ils ne comprenaient rien de rien à l'anglais du nouveau professeur. Les noirs, largement majoritaires, ne voulaient plus apprendre à dessiner d'après la *Vénus de Milo*, le *David*, la *Victoire de Samothrace* et autres modèles blancs bons pour les blancs. Ils ne voulaient pas non plus copier les femmes blanches d'Ingres, Degas ou Renoir. N'existait-il pas de peintres d'origine africaine ayant magnifié la race et la femme noire, vie et beauté dans le monde? Plus encore! En ces années où l'Amérique résonnait du fracas des actions violentes de Malcolm X et non violentes de Martin Luther King, pas une fois, une seule fois, on n'avait entendu le nouveau maître nommer leurs noms. Ne les prenait-il pas pour des héros? Ah! foi d'étudiants! Si ce blanc à peau noire revenait à Corpus-Christi, ils feraient la grève! Le père supérieur, un Canadien d'Ottawa qui se plaisait à baragouiner un peu de français, fut bien forcé de s'incliner devant la revendication générale et de donner son congé à Spéro.

Spéro fut très affecté de ce renvoi et les plaintes de ses élèves troublèrent considérablement son esprit.

C'est sans réfléchir qu'il utilisait dans ses cours les méthodes de son école d'arts plastiques de Lille. Il n'avait jamais pensé que le *David* était un blanc, ni la *Baigneuse* d'Ingres une blanche. Pour lui, ce n'était que des chefs-d'œuvre de l'art. Avait-il tort? N'était-il en réalité qu'un aliéné, comme le soutenaient les enfants? L'art a-t-il lui aussi une couleur? Quant à l'autre accusation, Debbie lui avait déjà reproché son peu d'intérêt pour les grands événements du temps. Tandis qu'elle avait pleuré Kennedy et même Malcolm X dont elle n'approuvait ni les idées ni les méthodes, avec les pleurs que l'on réserve généralement à des parents, ces deux morts n'avaient pas troublé le sommeil de Spéro. Élevé par Justin, il avait toujours pris les politiciens pour des menteurs et des illusionnistes, et cru que la politique n'est qu'un art de tromper le monde qui porte en lui son propre châtiment. Pourquoi en aurait-il été autrement en Amérique, blanche ou noire? Pourquoi les hommes politiques y auraient-ils été des dieux ou des martyrs?

Pourtant, ce qui le torturait davantage, c'était de devoir quitter un collège où il avait éprouvé un grand bonheur personnel. Sous les arbres de la cour de Corpus-Christi, il lui avait semblé retrouver son trop bref temps au lycée Carnot. Il y avait tellement fainéanté et marronné qu'on l'aurait probablement renvoyé dès ses 16 ans. Sans son départ pour Lille, il aurait dû se contenter comme Maxo ou Lionel de quelque job ou travail sans intérêt dans un bureau de La Pointe. A présent, il regrettait cette fainéantise et tous les après-midi qu'il avait passés à boxer ou à shooter dans un ballon au lieu d'écouter des leçons des maîtres. S'il avait mieux étudié, sans doute possible, il serait, au jour d'aujourd'hui, plus digne de la fierté de sa Debbie.

En paroles, celle-ci s'indigna fort de ce renvoi. Toutefois, sous ses mines en colère, Spéro crut deviner qu'elle s'y attendait comme si elle avait déjà compris que l'insuccès allait couronner toutes ses entreprises.

Quant à Margaret, elle ne cacha pas sa joie, une joie qu'elle ne devait pas savourer bien long-temps, car elle passa à la fin de ce même été d'une crise cardiaque. Depuis la mort de son mari, son cœur, devenu lent et irrégulier, n'était plus ce qu'il avait été. Il avait aussi été usé par la violence de toutes ces années-là. Si l'on tournait le bouton de la télévision, ce n'étaient qu'images de chiens policiers, de lances d'incendie, de policiers armes au poing, de cadavres sanguinolents. La boucherie n'avait épargné personne. Ni présidents. Ni prêtres. Ni étudiants. Ni soldats. Ni anonymes citoyens. Margaret suppliait Debbie d'être prudente. Elle s'imaginait le pire chaque fois que sa fille s'attardait en ville. La tête enveloppée d'un fichu pour se garder de la fraîcheur de la nuit, elle marchait jusqu'au petit embarcadère et sou-vent au sortir du dernier ferry, Debbie et Spéro la voyaient surgir dans la lumière des phares, pareille à ces figures de l'autre monde avec lesquelles les gens de Charleston effraient les enfants.

On peut dire que Margaret vit venir sa mort. De toute la semaine, son âme fut dans la tristesse. Ses yeux s'attachaient à chaque mouvement que faisait Debbie et à tout moment, sans rime ni raison, ils s'emplissaient d'une eau qui coulait en rigoles le long de ses joues. Quand elle parlait, sa voix avait de brusques trémolos. Naguère gourmande comme une chatte et toujours à enfourner des douceurs dans sa bouche, elle ne s'asseyait même plus à table et, aux heures des repas, lisait et relisait son bien-aimé *Livre de Daniel,* en élevant de temps en temps la voix :

« Quant à toi, marche vers ta fin. Tu prendras du repos; puis tu te lèveras pour recevoir ton héritage à la fin des jours. »

L'après-midi du jour fatal, elle se mit à parler de son mari comme elle n'en avait jamais parlé devant Debbie et Spéro, qui ne pouvaient pas croire ce que leurs oreilles entendaient. A la Maison funéraire des frères Jackson, Ebenezer Williams était étendu raide dans le chêne massif de son cercueil de première classe après une existence écoulée dans le respect du Seigneur. Vu la forte chaleur que dégageaient des centaines de bougies et d'ampoules électriques à fort voltage, les gerbes de fleurs se fripaient en vitesse tandis que parents et amis n'arrêtaient pas d'essuyer la sueur qui ruisselait sur leurs figures et dessinait des demi-lunes aux aisselles des femmes. Sec et frais dans son costume de tussor qui contrastait avec toutes ces serges et tous ces draps de deuil, le beau George Middleton faisait semblant de prier ; en réalité il regardait les femmes et tentait d'imaginer leurs corps sans ces lourds accoutrements de circonstances. Il repéra Margaret assise au premier banc des prieuses, arriva à s'agenouiller à côté d'elle et souffla :

— Demain 17 heures sur les marches du musée de la Confédération.

Elle se débrouilla pour être exacte au rendez-vous.

En ce temps-là, les hôtels de Charleston étaient interdits aux noirs et ils firent l'amour dans la maison d'un de ses bons amis, débauché comme lui. Le sang rougit le drap à festons de dentelle blanche qui recouvrait la couche et il l'embrassa plus fort, murmurant :

— Quel joli cadeau tu me fais là!

Laissant Debbie et Spéro à leur saisissement, Margaret rentra dans sa chambre et se coucha pour mourir.

C'était la saison des longs jours et le soleil n'en finissait pas d'aller rejoindre l'horizon. Le vent charroyait jusque dans le mitan de la salle à manger l'odeur des fleurs de frangipaniers.

Engourdi dans ses souvenirs, Spéro entendit le volet de la fenêtre du salon frapper à plusieurs reprises contre la façade de la maison. L'heure nocturne amplifiait le bruit et on aurait cru entendre une de ces rafales de mitraillette qui déchiraient plus souvent que rarement les nuits de Charleston. Il se décida à descendre le fermer.

La nuit où l'ancêtre mourut, il se passa des choses bien étranges dans Blida.

Deux Arabes qui discutaient au sortir d'un café où ils avaient bu jusqu'à plus soif du thé vert à la menthe virent, comme une ombre, une petite pile de nuages noirs arriver depuis le fond de la rue déserte à cette heure tardive en tournoyant sur elle-même comme un derviche. Cette ombre, cette petite pile de nuages, passa devant eux en grand fracas, avec une telle vitesse que l'air aux alentours s'en trouva fortement commotionné et clapota comme l'eau d'un marigot quand elle est secouée par un vent furieux. Les deux Arabes furent projetés contre la façade de la maison derrière eux. Terrifiés, ils se saisirent de leurs chapelets cachés dans les replis de leur burnous et récitèrent la *sha'hada*. L'ombre continua à descendre la rue en faisant le même désordre.

Quand elle arriva à la sortie de Blida, là où les maisons s'arrêtent, là où la ville cède la place à la mer du sable et aux cactées qui se dressent dans l'air raides comme les cierges devant les autels, l'ombre hésita comme une personne qui cherche son chemin. Elle fit deux ou trois pas au hasard, regarda vers le haut pour voir s'il y avait un repère dans le ciel. Mais cette nuit-là il n'était qu'une grande bourse de maroquin vide. Il abritait en tout et pour tout un quartier de lune sans force et quelques étoiles décolorées comme des bijoux en toc, éparpillées à droite et à gauche. Alors, l'ombre poussa un ahan pour se donner force et courage. Le voyage jusqu'à *Kutane* serait long et ardu. Elle savait qu'elle devrait marcher quarante jours et quarante nuits avant d'atteindre les marches de la cité des morts qui se dresse à l'inverse de celle des vivants. Quarante jours et quarante nuits. Toute seule. Sans esclaves. Ni épouses de panthère. Sans personne pour l'aider. Juste quelques débiles prières de femmes et d'enfants pour la pousser droit devant. Elle partit.

Des caravaniers revenant du désert, juchés sur leurs montures balançant leurs longs cols pelés, virent cette ombre noire qui tournoyait au ras des dunes comme un derviche. Pourtant, ils prirent cela pour un mirage de leurs yeux fatigués et, fouettant leurs bêtes, se hâtèrent d'aller chercher l'abri de leurs couches.

Pendant ce temps-là, au quartier même où habitait l'ancêtre, les gens de leurs maisons entendaient le vent se plaindre comme une femme près d'accoucher. Ils entendaient aussi les hurlements de la mer en folie, la mer qui se trouve pourtant à des kilomètres à vol d'oiseau, au pied des falaises d'Alger la Blanche. Les petits enfants s'asseyaient dans leurs berceaux et puis, effrayés par ce vacarme, commençaient à pleurer à chaudes larmes. Les nourrissons que l'on mettait à coucher dans le bien-être du corps de leur maman, enveloppés dans des hardes, couinaient de peur, serrant dans leurs petites mains les outres blanches de leurs seins. Les hommes les plus braves sortaient dans les cours et posaient des questions à la noirceur. Que voulaient dire tous ces signes? Était-ce encore un mauvais coup des incirconcis qui se préparait? L'administration française venait de confisquer les derniers biens des religieux. Des dizaines de colons s'étaient encore établis dans le Mzab. D'autres coupaient à ras du sol les pins et les thuyas pour faire pousser les vignes de leurs vignobles. Pourtant Lallah Fatima, dont les yeux avaient été bénis du secret de la divination, l'avait dit : ils partiraient, ces chiens incirconcis. Ils partiraient avant longtemps et le pays qu'ils avaient mis à l'encan essayerait de retrouver le chemin d'Allah.

Dans la maison que la mort avait visitée, la reine Fadjo avait tant bien que mal organisé la veillée. Le médecin français qui était venu constater la mort avait prévenu les fonctionnaires de l'Administration qui à leur tour avaient prévenu Paris. Tout ce monde était bien embêté : que faire avec ce cadavre très emmerdant? L'enterrer à la sauvette? Mais où? L'ancêtre n'était ni musulman ni catholique. Alors quel cimetière voudrait bien accepter sa dépouille de païen? Il fallait surtout empêcher que les partisans d'Add el-Kader, mal consolés et toujours prêts à s'agiter dans les complots, prennent comme étendard ce vieux roi sans royaume et en fassent leur héros.

Tandis qu'on ne pouvait pas compter sur Ouanilo, abîmé dans son chagrin, la princesse Kpotasse s'était occupée de la chapelle ardente. Elle avait coupé toutes les fleurs du patio et les avait mises dans des vases. Il y avait des frangipanes, des grands lys blancs, des camélias, des lauriers-roses, des azalées mauves, du mimosa et des tiares qui viennent de Tahiti et dont les arbrisseaux ont besoin pour pousser à hauteur d'enfant le long des rivages et aussi sur les collines de la chaleur du plein soleil.

Descendu du deuxième étage, Spéro était debout sur la *piazza* depuis un bon moment à respirer le vent salé de la mer. Le *malfini* de la nuit avait ouvert toutes grandes ses ailes et mettait dans le noir toute l'étendue du ciel. Pas une étoile. Pas même un tout petit quartier de lune.

Les eaux sans lumière du passé coulaient et, en coulant, faisaient éclater les bondes du passé.

On peut dire que les hommes Jules-Juliette avaient toujours fainéanté, mangé l'argent de leurs mères, grands-mères ou épouses. Après son renvoi de Corpus-Christi, Spéro se trouva du pareil au même que Justin ou Djéré, bien obligé de tendre la main à Debbie. Elle ne se plaignait pas, mais procédait d'une façon bien à elle. Au début de chaque mois, elle alignait sur la table du hall, à côté d'un vase en cuivre, toujours empli des fleurs de saison, une série d'enveloppes portant à l'encre rouge le nom de leur destinataire. Mamie Garvin, la servante, Flipper, le jardinier borgne, qui quatre fois le mois enfilait des gants de caoutchouc pour tailler les azalées du jardin et brûler les feuilles tombées des arbres, Jeff, l'homme à tout faire, qui déchargeait le bois pour la chaudière, vérifiait la pression des radiateurs et nourrissait les chats édentés et coléreux qui, un beau jour, venus on ne sait d'où, s'étaient installés en locataires. Cette enveloppe à son nom parmi celles des domestiques humiliait le cœur de Spéro. Il aurait aimé expliquer à Debbie ce qu'il ressentait. Pourtant il n'osait. Linton, à qui il se confia, compatissant à son cas, voulut l'aider. C'est ainsi qu'il le présenta à une de ses connaissances, un certain Major Dennis.

Major Dennis occupait une suite à l'Old Battery Hotel qui venait d'être déségrégué et où, chuchotaient les bonnes gens de Charleston, sa mère avait travaillé aux cuisines. C'était un grand nègre noir qui parlait avec un tel accent du Sud que l'oreille peu exercée de Spéro n'entendait rien à ce qu'il disait. Heureusement, il baragouinait un peu de français et même de créole qu'il avait appris à des Haïtiens du temps qu'il vivait en Belgique. C'était un de ces êtres rebutants et mal éclos qui tentent de tirer parti de tout. Profiteur de guerre et exploiteur du peuple. Sa couleur ne lui importait pas. Aurait-il vécu sous le soleil de la Traite qu'il aurait sûrement fait fortune en vendant la chair de ses frères de race. Un temps, il avait été en liaison avec les ghettos de Kingston à la Jamaïque et au prix fort il avait procuré les joies de la maternité aux bourgeoises de Charleston en mal d'enfant. Un temps, il avait habité l'Afrique et veillé à l'approvisionnement en chair fraîche des présidents et des chefs d'État en visite officielle. Toujours et partout, il trafiquait en drogue douce et dure. Depuis peu, il avait une idée fort simple qu'il exposa en détail à Spéro.

Puisque le Tout-Charleston raffolait des peintures naïves haïtiennes, pourquoi ne pas lui en donner pour son argent et refaire à la chaîne des Rigaud Benoit, des Delnatus, des Wilson Bigaud, des Sénèque Obin, voire des Préfète Dufault? Pour les écouler, on ouvrirait un Centre d'art qu'on confierait à un Haïtien de New York pour faire bonne couleur locale... Spéro fut tenté. C'était de l'argent facilement gagné. Et puis comment découvrirait-on la supercherie? Les Haïtiens eux mêmes se copiaient à qui mieux mieux. Après une âpre discussion, car Major Dennis se connaissait en marchandage, il n'obtint qu'une petite avance, une centaine de dollars, mais négocia un contrat mirobolant.

Dès lors, pendant des semaines, calmant sans trop de mal sa mauvaise conscience, il fignola donc des copies de deux Jasmin Joseph : *Le Mariage d'Adam et d'Ève* et *Le Paradis des animaux*. Ce bestiaire lui procurait un tel enchantement qu'il se demandait si ces lions et ces éléphants debout sur leurs deux pattes arrière, ces girafes vêtues de robes aux teintes pastel et ces singes jouant avec des tigres dans la ramure d'une forêt n'étaient pas sortis de son imaginaire à lui. En vérité, n'était-il qu'un faussaire?

Discrètement, Major Dennis passait quelquefois le voir et, examinant les toiles, exprimait sa satisfaction. Un matin qu'il était à pied d'œuvre, ce ne fut pas lui qui fit irruption dans l'atelier, mais Linton, bégayant et les yeux fous. On venait d'arrêter Major Dennis dans sa suite de l'Old Battery Hotel. Les deux hommes se dévisagèrent avec terreur. Sans doute, la police réservait-elle le même sort à ses complices? Sans perdre une seconde, ils vidèrent l'atelier et se précipitèrent au Montego Bay où ils mirent le feu aux toiles. Tout en regardant ses rêves de richesse mal acquise s'envoler en fumée, Spéro se fit l'effet d'un Landru.

Pendant des jours, il trembla. Que se passerait-il si on venait l'arrêter? Si son nom faisait la une du *Black Sentinel of Charleston,* mais cette fois de bien honteuse façon? « Peintre guadeloupéen arrêté pour faux et recel de faux. » Que dirait Debbie?

La vue de la moindre casquette de policier au hasard d'une rue lui mettait tout le corps en eau et les jambes en faiblesse. Il se terrait à Crocker Island comme si la solitude de l'île lui était une protection. Quand Margaret passa, il se trouvait en fait dans un tel état d'esprit qu'il ne put savourer, comme il se devait, la mort de sa vieille ennemie. Au contraire, il songeait à la honte qu'il causerait à Debbie dans un moment où elle était déjà tellement éprouvée. Elle confondait quant à elle ses mines avec celles du chagrin et s'étonnait de le voir tellement regretter sa mère.

Cependant ses frayeurs se révélèrent vaines. Les jours succédèrent aux jours et Spéro ne fut pas inquiété. Le procès de Major Dennis ne fit pas recette. Quelques lignes dans le *Black Sentinel,* qui d'ailleurs n'aimait pas à laver le linge sale en public et avait assez à faire avec l'assassinat de Malcolm X. D'accord, la bourgeoisie haïssait ses idées à Charleston, mais un nègre est un nègre. Et la mort est la mort.

Bientôt la vie recommença de couler son fleuve quotidien.

Farah, qui venait d'épouser Charles Thomas Jr était arrivée de Piscataway pour enterrer sa mère et les deux sœurs, qui n'avaient pas vécu ensemble depuis des années, se trouvèrent réunies sous le même toit. Comment les empêcher – et empêcher tous ceux qui se pressaient pour offrir leurs condoléances à ce qui restait des Middleton de Crocker Island – de comparer leurs hommes? Or comment comparer Charles, plein d'avenir, courtois, affable, toujours le sourire et la parole pleine d'élégance à la bouche, avec Spéro? Debbie était parfaitement consciente des mauvais points que son choix lui attirait. Elle se défendait de son mieux, rappelant mine de rien que Charles n'avait fait que profiter des combats des autres pour l'égalité raciale afin d'entrer à Harvard et d'y étudier le droit des affaires. C'étaient ces mêmes combats qui lui avaient permis au jour d'aujourd'hui, planqué à Piscataway, d'ouvrir avec deux promotionnaires blancs un des premiers cabinets intégrés d'avocats. En un mot, c'est sur le dos des autres qu'il avait fondé sa réussite. La bouche de Debbie parlait comme cela, mais dans le fin fond d'elle-même, son esprit lui disait tout autre chose. En conséquence, son comportement avec Spéro changeait. Il semblait aussi que, n'ayant plus peur de blesser le cœur déjà tellement endolori de sa pauvre maman à présent disparue, elle ne faisait plus semblant avec lui et se permettait des impatiences, des colères. Oui, c'était de ce temps-là que dataient les premières vraies fâcheries, celles qu'une nuit de caresses ne clôture pas. D'ailleurs Debbie avait commencé de lui donner dos dans le lit et, offensé dans son orgueil, il refusait de porter la main sur cette chair hostile. Quand il était loin de Debbie, il inventait mille manières de faire le beau. Quand il était devant elle, il se sentait petit, laid, dérisoire.

A ce point, il était donc inévitable qu'il songe à s'embellir dans le regard-miroir d'une autre femme. Peu aventureux comme il était alors, il ne s'aventura pas bien loin et se mira dans les yeux de Jeanne, la propre cousine germaine de Debbie.

Spéro avait assez d'intelligence pour comprendre que cette première conquête-là, tellement facile et tellement surprenante, il ne la devait pas aux propres qualités de sa personne. Jeanne et Debbie étaient en rivalité depuis l'école. Ce que l'une possédait, l'autre se mettait aussitôt en quatre pour l'obtenir. Tout inintéressant qu'il était, il était une place à prendre dans la stratégie de leur combat. A force de s'épier, Jeanne et Debbie avaient fini par se ressembler. Faisant l'amour avec l'une ou l'autre, Spéro manquait se tromper à haute voix. Jeanne était plus chatte que Debbie, moins intellectuelle, prenant le plaisir pour ce qu'il était. Dans le privé, elle savait fort bien oublier les milliers de morts de la guerre du Viêt-nam, l'incendie des campus et autres sujets graves pour se livrer à sa passion : le spiritisme.

Elle se vêtait de voiles blancs, s'entourait la tête d'un turban de même couleur et appelait l'un après l'autre tous les morts de sa famille; en particulier sa sœur cadette, qu'un accident de voiture avait fauchée dans ses 16 ans. Elle se mit en tête d'appeler l'ancêtre et prétendit qu'il lui répondait docilement. Et en effet, les soirs où, yeux fermés, elle nommait son nom, la table ronde faisait des cabrioles et donnait de grands coups de pied dans le plancher. D'après Jeanne, l'ancêtre était content et en paix là où il était, ayant trouvé sans trop de difficultés le chemin de *Kutome* et ayant fait venir très tôt auprès de lui Ouanilo, son enfant favori. Ce qui se passait sur la terre ne tourmentait plus son esprit. Oui, les Français l'avaient privé de la compagnie de ses ancêtres qui dormaient tous à Abomey. Quand ils avaient consenti à faire revenir ce qui restait de son corps mortel au Dahomey, ç'avait été pour l'enterrer loin d'eux dans son village natal. Mais cela n'avait plus d'importance.

L'autre grande passion de Jeanne consistait à trouver la clé des songes. Elle analysait tout : les rêves du premier sommeil, les rêves du deuxième sommeil et surtout les rêves du troisième sommeil, ceux que l'on fait dans le devant-jour quand l'esprit en confusion se prépare à quitter l'ombrage de la nuit pour affronter la lumière du soleil. Spéro n'y croyait pas, à toutes ces bêtises qui lui rappelaient les superstitions du morne Verdol, et ne se prêtait guère au jeu des interrogations. Jusqu'au jour où, ayant décrit à Jeanne un rêve — trois poissons, couchés sur un grand plat d'argent et mordant tristement des feuilles d'aromates —, elle lui prédit qu'il allait apprendre une grossesse. Le lendemain même, Debbie lui annonça qu'elle était enceinte.

C'est vrai qu'il avait été un mauvais père?

Mauvais mari, très mauvais mari, d'accord! Mais mauvais père? Alors peut-être qu'il fallait tout recommencer à la naissance de leur enfant?

Il se trouvait avec Jeanne quand les premières douleurs avaient pris Debbie, et elle avait dû téléphoner à leurs voisins les plus proches, des blancs qui habitaient à près de dix kilomètres sur le versant est de l'île, hérissé de falaises. Dans le temps, les Middleton avaient eu des mots avec ces blancs-là, car ils faisaient partie des envahisseurs qui peu à peu délogeaient les noirs des terres des Sea Islands qu'ils occupaient depuis la fin de la guerre civile pour y bâtir des villas avec piscines et vue imprenable sur la mer. Mais les choses avaient changé. A présent, noirs et blancs devaient apprendre à vivre ensemble et les blancs étaient accourus en vitesse. En attendant le ferry, Debbie avait manqué accoucher dans leur Jeep et ils avaient connu une grande frayeur.

Tout cela avait mis Spéro fort en colère. Depuis des semaines, à mesure que la date fixée sur le calendrier approchait, il suppliait Debbie de se rendre chez un de ces innombrables Middleton ou parents et alliés Middleton qui habitaient Charleston. Elle ne s'occupait pas. Son rêve aurait été d'accoucher chez elle comme son aïeule Eulaliah qui avait mis ses treize enfants au monde dans la maison de Crocker Island, toute seule, avec l'aide d'une servante. A peine délivrée, elle serrait son ventre avec une bande de toile de lin et allait enterrer son placenta sous un des arbres du parc auquel elle donnait le nom du nouveau-né.

Toutes ces bêtises-là appartenaient au tan lontan! On n'enlèverait pas de la tête de Spéro qu'à cause de toutes ces peurs encourues à l'orée de son existence, Anita était sortie du ventre de Debbie comme elle était : dolente, pleurnicheuse, sans force ni appétit.

Il y avait bien sûr une autre explication qui en cachette tourmentait son esprit. Nuit après nuit, il faut arroser le fœtus avec l'eau de l'amour, lubrifier ses petits membres, exercer ses jointures. Il faut que les baisers des parents se diluent dans le sang et lui arrivent là où il se trouve pour qu'il en fructifie. Or, malgré les grands serments qu'il se faisait, il n'arrivait pas à quitter Jeanne et pendant tout le temps de la grossesse, elle s'était tenue entre Debbie et lui. A cause de ces pensées, malgré son bonheur d'être père et père de fille, il embrassait gauchement son enfant. Il se demandait dans le fond de sa conscience s'il n'était pas la cause de sa faiblesse, de ses manques et de ses disgrâces. En fin de compte, il avait un peu honte d'elle comme si son péché s'était étalé au grand jour. Est-ce tout cela que la finesse de Debbie percevait? Est-ce de tout cela que son amour, qui n'avait rien à se reprocher, avait voulu protéger l'enfant?

Anita avait environ deux ans quand une rétrospective de l'œuvre de Jacob Lawrence avait eu lieu Chez Marcus. Le peintre noir venait d'être honoré d'une médaille nationale et ce signe venant après d'autres avait paru annoncer des temps nouveaux. Enfin, à la fin des fins! L'Amérique jetait ses guenilles racistes! Enfin, à la fin des fins, le rêve du pasteur King n'était plus un rêve! Dans l'euphorie de l'instant, Marcus n'avait pas ménagé sa peine. Il était arrivé à convaincre le Whitney Museum de lui confier *Toussaint-Louverture* et *Migrations,* que certains considèrent comme les sommets de l'œuvre du peintre et avait adressé près de cinq cents invitations à des blancs et des noirs.

Ce jour-là, Spéro et Debbie s'étaient querellés une fois de plus. Debbie avait ses idées bien à elle en matière d'éducation, estimant que plus tôt les sens étaient entraînés au tête-à-tête avec la beauté, mieux ils en profitaient. Elle-même, est-ce qu'à deux ans à peine, blottie contre le giron de sa mère, elle n'avait pas entendu Paul Robeson jouer *Othello* au Shubert Theatre? Est-ce qu'elle ne gardait pas religieusement mémoire de cet enchantement?

Ils avaient donc emmené l'enfant. Fagotée dans la soie et la dentelle, chétive et pitoyable, elle arpentait la galerie de son pas hésitant, quand soudain elle s'était arrêtée devant *Pierres tombales,* le tableau que Spéro lui-même préférait. Elle s'en était approchée tout près, tout près, presque à toucher la toile, puis soudain, elle s'était tournée vers sa mère et avait battu des mains. Alors, après un regard triomphant à l'adresse de Spéro, Debbie l'avait soulevée de terre et l'avait couverte de baisers.

Savoir si ce n'était pas cet amour-là, répandu à verse comme les gouttes de la pluie, qui avait fait germer et épanouir la beauté en elle, la transformant avec une force irrésistible? Savoir si ce n'était pas cet amour-là qui lui avait manqué, à lui, le rendant comme il était?

Allez comprendre pourquoi! Marisia ne manifestait un peu de tendresse qu'à Maxo, pourtant le plus noir des trois, trapu, carré avec des jambes cagneuses de boxeur. C'est à lui qu'elle donnait des noms gâtés et du *gason à manman*. C'est pour lui qu'elle ramenait du marché, enveloppé dans un bout de papier, un nougat pistache ou un *suk à koko* à tête rose! Il semblait à Spéro que Marisia ne l'avait serré contre elle et embrassé qu'une seule et unique fois, comme si elle savait qu'elle n'allait plus le revoir de ses deux yeux de vivante. Le jour de son départ pour Charleston.

En ce temps-là, les avions n'étaient pas une chose de tous les jours. Ceux qui le pouvaient couraient ventre à terre jusqu'au Raizet pour les regarder raser de leurs ailes les frondaisons de la mangrove avant de piquer du nez sur la piste. Les autres, sans s'occuper des voitures qui les klaxonnaient, restaient debout au beau milieu des rues de La Pointe, le nez en l'air pour les voir passer au-dessus de leurs têtes. Comme il n'y avait pas de liaison directe entre La Pointe et l'Amérique, Debbie et Spéro durent se rendre à Porto Rico. La famille les avait donc accompagnés, Justin traînant les pieds dans son chagrin, jusqu'au bout des quais, encombrés de caisses, de ballots, de paille, de toiles d'emballage où le *Tampico* les attendait à l'étroit entre deux mastodontes qui eux s'apprêtaient à faire route en direction de Saint-Nazaire. Le *Tampico* qui deux jours plus tôt était arrivé avec une charge de bœufs de bou-

cherie et de travail s'en repartait à vide, si l'on
excepte des caisses de savon de Marseille et des
jarres d'huile d'olive commandées par un négo-
ciant de Fajardo.

Spéro ne pouvait retenir des larmes. Son idée
lui disait qu'il ne reverrait plus jamais les siens
dans ce monde. Alors, il serrait à l'écraser la main
de Justin. Il se pressait contre la poitrine de Marisia qui pour une fois ne le rembarrait pas. Pourtant, arrivé à San Juan, ses yeux séchèrent à l'instant.

Quoi! Pareille opulence à quelques encablures
de sa Cendrillon de Guadeloupe! Il avait toujours
cru que c'est un grand malheur en vérité que
d'être né un Antillais; que le mot « Antilles » veut
dire aussi médiocrité. Or voilà que Porto Rico
lui donnait un fameux démenti! Les murs blancs
des palaces cinq étoiles enserraient le front de
mer d'un bleu moins bleu que celui des piscines.
L'œil se fatiguait à mesurer l'étendue des terrains
de golf et la hauteur des palmiers le long des
avenues à quatre voies royales. Dans les vitrines
des galeries marchandes, tous les objets du luxe
étaient à portée de rêve. Debbie perdait sa peine
à lui répéter sur tous les tons que tout cela n'était
qu'attrape-touristes. Les Portoricains eux-mêmes
croupissaient dans les ghettos d'El Fanguito et de
La Perla, ou fuyaient vers New York où ils croupissaient dans un autre ghetto, nouvel objet
d'études pour les sociologues, El Barrio. Spéro
ne l'entendait même pas. Il était ébloui. Au début
de l'après-midi, ils peinèrent pour monter jusqu'à
la citadelle San Felipe del Morro qui commande
la baie. Tandis que Debbie, armée d'un guide,

lui racontait les mésaventures de Francis Drake et sa mort sans gloire à Panama, Spéro rêvassait à cheval sur un canon rouillé. Pendant le voyage de San Juan à New York, des hommes d'affaires américains montés à bord lui donnèrent un premier goût de ce à quoi Debbie, Willard et Vivian essayaient de le préparer. Jamais il n'arriva à croiser leurs regards, dont l'acier transperçait son corps pour atteindre un point dans l'espace. Cela devint son idée fixe. Lui, pourtant ni effronté ni chercheur de querelles, il en vint à se placer par exprès sur leur chemin pour les fixer dans le blanc des yeux. Rien à faire. Identiquement vêtus de gris anthracite, cravatés de bleu, coiffés d'argent, arpentant le pont, vidant bière sur whisky au bar ou prenant leur repas dans la salle commune, les Américains l'ignoraient massivement et ce faisant lui signifiaient qu'il ne méritait pas la qualité d'homme. Qu'il n'était même pas un animal disgracieux et répugnant. Ou un végétal. Ou un minéral. Simplement qu'il n'existait pas à la surface de la terre.

Les quelques jours qu'il passa à New York vinrent confirmer ces mauvaises impressions.

Le Middleton prénommé Daniel qui en 1917 contre l'avis de ses frères et sœurs avait quitté Charleston pour s'établir à New York n'était pas allé plus haut que Harlem, 135e Rue. Avec sa part

d'héritage, il s'était acheté une maison, trois étages
et un *basement,* avait installé sa famille, une épouse,
dix enfants, une belle-mère veuve, puis s'était mis
en quête d'un travail. Mais New York n'est pas
Charleston, il l'avait compris très vite. A New
York, un Middleton n'est qu'un nègre très ordinaire, un nègre comme les autres, un nègre noir,
un nègre tout ce qu'il y a de plus noir. Aucun
employeur ne prit en considération son certificat
d'imprimeur et tout ce qu'il trouva fut une place
de portier : six heures de temps à battre la semelle
sur le trottoir du White Palace Hotel, 5e Avenue,
à ouvrir et à fermer les portières des taxis et à
recevoir les pourboires des blancs. Il ne s'y fit
jamais. A la fin de sa vie en 1940, car il mourut
tôt, il écrivait à son frère barbier prospère resté
dans sa maison de Crocker Island : « Tout le
monde se trompe. Le nord est au sud et le sud
est au nord. »

Quand Debbie et Spéro débarquèrent dans la
maison de la 135e Rue, ses murs s'étaient rata-
tinés, sa peinture s'était écaillée, sa façade n'avait
pas été ravalée depuis des temps et des temps, et
elle n'était plus qu'une vieille lépreuse, honteuse
de ses pustules et de ses moignons. A l'intérieur,
le chauffage avait disparu, les radiateurs ne faisant plus que de la décoration, les salles de bains
n'avaient pas d'eau, la cuisine pas de feu et dans
les chambres à coucher, les ressorts des matelas
défoncés perçaient la toile trop mince des draps.
Malgré ses 67 ans, Louise, la veuve de Daniel,
laçait ses bottes sur ses chevilles déformées et
descendait vaillante chaque jour que Dieu fait
jusqu'à la 40e Rue pour vider des corbeilles de

bureaux. Pourtant ce n'était là, semblait-il, que faux air d'échec puisque la cage de l'escalier était tapissée de toutes qualités de diplômes attribués à toutes qualités de Middleton. Diplôme de coiffeuse. Diplôme d'aide-soignante. Diplôme d'aide-masseuse. Diplôme de cuisinier. Diplôme de pâtissier-boulanger. Diplôme de chauffeur de bennes mécanisées. Diplôme de mécanicien auto. Diplôme de chaudronnier-galvaniseur. Diplôme de jardinier. Il y avait tout de même un diplôme de théologien.

Devant chacun de ces diplômes, lourdement encadrés de cuivre, Louise détaillait complaisamment la belle réussite de ses enfants et, yeux levés vers le ciel, rendait grâce à Dieu. Pour la nuit, elle conduisit Debbie et Spéro dans une chambre à coucher encombrée de coupes et de trophées, et expliqua par le menu et le détail dans quelles circonstances et sur quels terrains de sport ses athlètes de garçons les avaient gagnés. Le lendemain, qui était un dimanche, tout ce qu'il y avait de Middleton à New York, voire même de petits enfants ou des bébés dans les bras, se réunit pour assister à la messe dans l'église baptiste du révérend Adlaï Middleton à la 118e Rue. L'Esprit tomba sur Adlaï au moment où comme Ézéchiel il vomissait les faux prophètes. Après quoi Spéro, l'estomac encore retourné par cette bacchanale religieuse, dut quand même ingurgiter du poulet, des épinards, du riz, des pois kongo, du lard, de la tarte à la citrouille qu'il détesta aussitôt violemment et de la glace à la vanille. Ce fut ce jour-là, la main agrippée sous la table à celle de Debbie, comme celle d'un petit garçon à celle de sa maman

un jour de rentrée des classes, assourdi par un
parler pour lui aussi incompréhensible que le cha-
rabia d'une tribu wayana, qu'il eut l'intuition que
l'Amérique lui resterait toujours hors de portée.
Un coffre dont il ne posséderait jamais le chiffre.
Il ne connaissait ni hier ni avant-hier. Encore
moins avant-avant-hier. Comment comprendre
aujourd'hui?

Au sortir de chez Adlaï, on marcha dans des
rues noires comme des corbillards que l'approche
de la nuit rendait plus sinistres encore. Tout le
désespoir de la terre s'était donné rendez-vous
sur la figure des hommes et des femmes que l'on
croisait. Bouleversé, Spéro se jura de ne plus
remettre les pieds à New York. Il tint parole
puisqu'il n'y revint que vingt ans plus tard à la
graduation d'Anita.

De retour à la 135e Rue, la famille dîna légèrement d'un pâté de volaille. Quelqu'un s'assit
devant le piano astiqué et luisant, seul objet
luxueux dans le délabrement général de la maison
et tout le monde chanta en chœur « Amazing
Grace ». Puis Debbie, qui était tout de même
parvenue à s'entretenir avec Louise de l'ancêtre,
lut dans un silence religieux un passage des
Cahiers de Djéré, « L'incendie d'Abomey ».

Dans le train qui les amenait à Charleston, Spéro
ne put se retenir de demander quelques expli-
cations à Debbie. Pourquoi les Middleton de New
York étaient-ils tellement heureux dans leur
condition qu'ils ne cessaient de remercier Dieu?
Elle eut un sourire d'une infinie compassion et
souffla :

— C'est qu'ils ont survécu!

Les cahiers de Djéré

numéro sept

L'incendie d'Abomey

Le 4 novembre 1892, les colonnes du général Dodds étaient entrées dans Kana, la ville des champs de palmiers à huile et avaient massacré tout ce qui vivait. Le bruit de cette tuerie avait couru jusqu'à Abomey, distante d'un jour de marche à peine, et mon père s'était rappelé ce que ses *bokono* voyaient et répétaient depuis plusieurs jours : le temps marqué pour la fin était venu. Alors il avait enlevé de son abri dans la terre les restes mortels de son père et les avait transportés dans un lieu sûr qu'il n'avait indiqué à personne. Puis, il avait passé la journée en prières tout en faisant brûler de l'encens dans les jarres. Enfin, il avait pris sa décision.

La nuit venue, tandis que les soldats et les amazones s'en allaient, comme il l'avait commandé, allumer l'incendie aux quatre coins d'Abomey, il mit de sa propre main le feu à la demeure qu'il tenait de ses ancêtres. Cette demeure était protégée par une énorme muraille de terre, percée de deux entrées dont l'une était exclusivement réservée au roi et à ceux qui marchaient avec lui.

A l'intérieur de cette enceinte, depuis dix règnes que notre dynastie était sur le trône, chaque souverain avait ajouté son palais à celui de ceux qui l'avaient précédé. Ce qui fait que cette demeure couvrait un espace considérable. (On aurait pu facilement y loger La Pointe et tous ses habitants.) Les différents corps de bâtiment qui la composaient, les quartiers des femmes, des ministres, des guerriers, des prêtres, étaient couverts de paille sèche posée sur une charpente en nervures très droites de palmier raphia. Une torche à la main, mon père se hissa sur son trône en bois de fromager qui reposait sur quatre crânes de chefs ennemis, se dressa de toute sa hauteur et essaya d'embraser la paille. Le feu commença par hésiter devant le sacrilège qu'on lui demandait de commettre et, s'abritant d'une épaisse fumée noire, poussa une série de soupirs, comme s'il s'efforçait de se retenir. Quand même, la voracité fut la plus forte. Il finit par dérouler son corps lové en anneaux et balancer sa tête plate et triangulaire aux énormes yeux de chat. Pendant quelques instants, il se contenta de lécher voracement la paille jusqu'à ce que, ne pouvant plus résister, il se jette sur le toit, les cloisons, le mobilier pour en faire une seule bouchée. Alors, mon père et les siens sortirent en vitesse du palais et quittèrent la ville.

Abomey est une île. Les *daadaa* l'ont bâtie sur un plateau qui s'élève à quatre-vingts kilomètres de la côte basse et marécageuse pour pouvoir assurer sa défense de tous les côtés. Une fois descendu au fond de la plaine qui l'entoure, mon père s'arrêta pour regarder derrière lui. Tout le plateau flambait et le ciel au-dessus était pareil à une calebasse de sang. Des paquets d'étoiles tournoyaient en tourbillons dans l'air et des étincelles explosaient tout partout. Le vacarme du feu s'accompagnait de celui du vent qui venait de la mer et activait les flammes comme le soufflet d'un bijoutier.

A chaque fois que mon père me décrivait ces moments de cauchemar, je me mettais à pleurer. Il embrassait mes joues poisseuses et salées, et me serrait contre lui en me disant : « Il ne faut pas pleurer. Il faut me venger. Il faut que tous mes garçons me vengent. » Ces paroles-là me faisaient pleurer plus fort encore. On aurait dit que, prévoyant la misère de mon existence, je savais que je ne serais jamais à la hauteur de son espérance et que je ne le vengerais jamais.

Après avoir vu flamber son palais, mon père resta longtemps immobile, la tête entre les mains. Respectant sa peine, les grands prêtres étaient entrés en prières et les *bokono* faisaient des divinations pour savoir ce qu'à présent l'avenir voulait cacher. Enfin il se releva. Puis avec sa troupe de fidèles, amazones, *bokono*, guerriers, grands prêtres, femmes, enfants, il prit le chemin de la forêt. C'est dans son ventre maternel qu'il vécut pendant près de deux ans, à l'insu des Français qui le traquaient comme une mauvaise bête, protégé par ses gris-gris et la magie de ses *bokono*.

Le cœur amer, il songeait. Il ne possédait plus rien. Ni palais. Ni armée. Ni esclaves. Ni captifs. Ni argent. Ni or. Ni huile de palme. Pas même la couverture de chaume d'un toit au-dessus de sa tête. Plus de guerres à entreprendre. Plus de victoires à gagner. Toute sa chair avait fondu sur lui et il ne restait que les os qui faisaient grand bruit quand il se déplaçait. Ses cheveux s'étaient emmêlés, aùssi longs que ceux de ses sujets, qui portaient encore le deuil de son père et déjà le sien. Ils avaient changé de couleur comme les herbes de la brousse en temps de saison sèche. Aussi il allait dans la noirceur auréolé d'une lumière de clair de lune. Cependant, sa haute taille ne se cassait pas et il restait droit comme le tronc d'un iroko.

La forêt! Tout commence par là! Tout finit par là!

Vert sur la branche verte, un crapaud allume et éteint les phares rougeoyants de ses yeux. En bas, dans les creux des racines échasses courent les crabes aux mordants féroces. L'ancêtre marchait, la tête à hauteur des fougères arborescentes et son pied ne butait pas. Il luttait contre l'angoisse. Quel crime avait-il commis quand il avait succédé à son père sur le trône? Avait-il trop aimé le pouvoir et l'honneur? Ou les femmes? Peut-être était-ce quand il était enfant? Ou même avant d'être planté dans le ventre de Mehutu, sa mère? Ou alors, tout était-il de sa faute, à elle? On disait qu'étant une princesse du pays aja qui par conséquent ne pouvait accoucher d'un roi, seule sa magie avait assis et gardé son fils sur le trône. On disait aussi que par la même magie elle avait fait disparaître un par un tous ceux qui risquaient de s'opposer à sa gloire. Ah, vanité de tout cela! A présent, la mort qui ne met pas de sandales à ses pieds nus approchait.

Dans l'eau noire de la forêt inondée, les poissons baignent ainsi que les corps morts des arbres, lourds comme des cercueils. Ce qui lui restait de sa cour se massait dans l'abri d'une clairière. Les esclaves parvenaient à faire cuire dans les trous de la terre des escargots à chair violette, des singes écorchés vifs et des plantains sauvages. Les enfants enfumaient la mousse pour recueillir le miel des abeilles et arrachaient aux branches les fruits doux du *pupunha*. Parfois, étincelant, un oiseau de feu quetzal tombait de la canopée qui verdoyait là-haut, hors d'atteinte des regards.

Quand les chauves-souris commençaient à voler vers le faîte des arbres, leurs ailes funèbres grandes ouvertes, on savait que la nuit approchait. Alors, accompagné de ses musiciens, mon père entamait des cantilènes qu'il avait composées lui-même du temps qu'il était à Abomey. Il chantait la renommée qui ne dure pas, la gloire qui se ternit, la richesse qui s'effrite et cette vie dont on ne sort pas vivant. En l'écoutant, hommes et femmes et même petits enfants avaient les yeux en eau, mais le cachaient. Car si mon père s'en apercevait, il se mettait dans une grande colère. Sur quoi pleuraient-ils? Est-ce que tout cela n'était pas fixé par le destin?

Quand mon père se rappelait la traîtrise des Français qui s'étaient mis sans raison à guerroyer contre lui, ses yeux lançaient des éclairs, ses dents grinçaient et toute sa figure bonne, douce, paternelle, devenait aussi effrayante que celle d'un sorcier qui profite sur le mal. Que voulaient-ils de lui? Est-ce qu'il n'avait pas honoré leur roi de six grands pagnes tissés de fils d'or, d'un parasol de cabécéres et de quatre enfants, deux garçons, deux filles qu'il avait choisis lui-même parmi ceux des princesses de sang royal?

Pendant les deux années qu'il vécut dans la forêt, les animaux rendirent chaque jour hommage à mon père. Les éléphants dont la peau grise est craquelée comme la boue d'un lac desséché, les butors tachetés, les girafes dont la tête se balance comme un fruit au bout de sa branche, les zèbres, les gazelles dama, les antilopes, tous les rapaces diurnes et nocturnes, et même les lions à pelage couleur de papaye mûre. Tous sortaient de leur cachette pour se prosterner devant lui. Ils se rappelaient qu'il était fils de l'animal-roi, celui dont le feulement signifie la mort par surprise. Parfois, les grands prêtres recueillaient un peu de leur sang dans des cornes de buffle et mon père le buvait comme une potion bienfaisante, car la vie réside dans le sang et le lait de la femme.

Un matin, dès le réveil, il n'y eut pas de jour. La noirceur de l'air retentit des cris des chauves-souris en éveil. L'eau qui passait à travers la ramure tomba noire et chaude, pareille à une pluie de cendres comme si soudain un volcan crachait la colère de ses entrailles. Les *bokono* furent pris d'inquiétude et se penchèrent sur leurs plateaux divinatoires. L'un d'eux se saisit d'un pangolin, le coupa en deux par le mitan. Sans s'occuper de son odeur nauséabonde, il scruta longuement l'en-dedans de son ventre. Puis il parla tout bas, longuement, à l'oreille de mon père dont la figure prit le deuil. Ensuite, mon

père se retira sous l'abri que les esclaves lui avaient
dressé avec les feuilles et les jeunes branches d'un
palmier. De toute la journée, on l'entendit appeler les *daadaa*, et personne n'osait prononcer une
parole. Après de longues heures de méditation il
quitta sa retraite, appela cinq de ses femmes, prit
son fils Ouanilo et la princesse Kpotasse par la
main et, marchant droit devant lui, se rendit aux
officiers français qui le guettaient au poste de
Gobo.

Au fur et à mesure qu'il me parlait cependant,
mon père oubliait l'amertume de ce temps-là
pour se rappeler sa paradoxale douceur. Il se
demandait si ces jours-là n'avaient pas été en
réalité les plus heureux de sa vie. Il était nu. Il
était léger. Il n'avait plus de guerres à entreprendre. Plus de victoires à gagner. Seule la
mort à espérer

Quand les Français arrogants et cruels mirent
la main sur mon père et le traitèrent comme
un prisonnier de guerre, un grand vent brûlant comme le feu descendit des déserts du
Nord. Il dessécha tout sur son passage. Il
dessécha les arbres. Il dessécha les plantes. Il
dessécha l'eau des mares. Il dessécha les animaux. Il dessécha les enfants et même les fœtus
dans les replis du ventre de leurs mères. Il
dessécha les vieillards. Il n'épargna que les
femmes et les hommes dans la force de l'âge
afin qu'ils puissent courir et porter la terrible
nouvelle aux quatre coins de notre royaume, à
ceux qui l'ignoraient encore. *Zanku!* La nuit est
tombée!

Alors les femmes qui restaient en vie défirent

les cheveux de leur tête. Les hommes laissèrent pousser les poils de leurs corps. Certains écrasèrent leurs testicules avec des pierres pour ne plus enfanter, et ce fut la désolation.

Une allée à présent assez mal entretenue allait depuis la *piazza* jusqu'au garage, ancienne écurie où du temps qu'ils vivaient dans la splendeur, les Middleton avaient entretenu un cheval de race. A l'époque, les autres nègres disaient remplis d'envie qu'il était bien heureux que cette opulence-là soit cachée à Crocker Island où personne ne mettait jamais les pieds. Car si les blancs du KKK en avaient eu vent, ils n'auraient pas manqué de donner une bonne leçon aux Middleton et d'y faire flamber une allumette.

C'est la même envie qui avait aigri leurs cœurs quand Thomas Middleton Jr avait acheté une des premières automobiles qu'un nègre ait jamais fait rouler dans les rues de Charleston, à part celles de quelques puissants ministres du culte. Cela se passait au mois d'avril 1929 et c'était une Dodge couleur rose saumon. Une photo perdue dans les albums de famille représentait Thomas Jr appuyé contre le capot de sa nouvelle acquisition, ses garçons serrés autour de lui, George, son préféré, assis sur l'aile droite, le coude appuyé sur un gros phare rond, gamin fanfaron dans son costume à veston croisé, découvrant de hautes chaussettes à tiges.

Passé la barrière qui s'ouvrait en grinçant sous les arbres, on rejoignait la route qui enserrait l'île, faisant l'entour de ses deux versants; le versant ouest avec sa côte basse et bourbeuse, creusée comme une passoire de trous à crabes; le versant est hérissé de falaises et d'à-pics.

Sans s'en rendre compte, comme un somnambule dans son sommeil, Spéro se trouva marcher sous la pluie et arriva près de la barrière. L'eau s'accrochait à ses cheveux comme des brins de paille, puis glissait le long de son cou et détrempait son vieux survêtement. Pourtant, il ne sentait pas l'humidité. A droite, les lumières pâlottes du petit débarcadère clignotaient. Elles s'éteindraient à minuit trente après l'arrivée du dernier ferry transportant les derniers rares voyageurs. En ce moment, il n'était guère que 7 heures 30. Pourtant, à cause de la noirceur et du silence, on se serait dit en plein milieu de la nuit. C'est vrai qu'on n'avait mémoire d'aucune violence à Crocker Island. Ni vol. Ni viol. Les seules morts qu'on déplorait étaient celles de pêcheurs de crabes ou d'huîtres imprudents que la marée en montant avait saisis. Quelques jours après leur disparition, la mer qui les avait avalés rejetait leurs cadavres comme autant de pantins désarticulés sur le sable, déjà couleur de deuil. Et pourtant la noirceur n'amenait dans l'esprit que des peurs et des images troublantes.

Si Debbie ne s'était pas trop attardée chez Paule, elle rentrerait par le prochain ferry. Qu'est-ce qu'il lui dirait quand il la verrait?

— Écoute, recommençons la vie!

Mais à partir de quand? De quel moment?

Quand le disque avait-il commencé d'être rayé, la cassette d'être grinçante, les images du film de se chevaucher, de s'accélérer avant de s'arrêter? Net. Après la naissance d'Anita, il s'était acheté une conduite. D'ailleurs Jeanne s'était mariée. A un brillant économiste, un des premiers noirs que le gouvernement ait nommés dans les services diplomatiques. Les gens disaient que le couple se connaissait depuis belle lurette et que ceux qui avaient des yeux pour voir les voyaient en tête à tête d'amoureux dans les *diners* de Charleston que l'on venait de déségréguer. Si c'était vrai, Spéro se sentait tout fier d'avoir partagé Jeanne avec un homme pareil, une « pièce d'Inde » de deux mètres de haut qui dans n'importe quel combat l'aurait assurément mis en *chiktaye*. Jeanne était d'abord partie vivre en Guinée, puis au Sénégal, puis au Nigeria. Des fois, on voyait sa photo dans *Essence,* vêtue d'une robe de couturier, souriant à côté de son mari. Dans les premiers temps, elle avait écrit à Spéro des lettres de huit et dix pages. Cela l'avait un peu étonné. Est-ce qu'elle avait vraiment tenu à lui? Puis il avait compris que ces lettres-là étaient en réalité adressées à elles-mêmes. Elles lui permettaient de regarder en face ses propres doutes. Sans avoir l'indiscrétion de les lire, il aurait dû les réexpédier : retour à l'envoyeur. Car, passé l'enthousiasme des premiers temps, elle déchantait. L'Afrique n'était plus dans l'Afrique. Les temples à Mammon remplaçaient les mosquées et les églises. Les leaders charismatiques avaient perdu leur charisme et du nord au sud, de l'est à l'ouest, la paix des soudards commençait de régner. A la dernière saison sèche,

elle avait accompagné son mari en mission au
Bénin. Son cœur battait d'allégresse à l'idée de
fouler le pays de l'ancêtre. Hélas! Les palais étaient
en ruine. Les gens, qui n'avaient souci que des
jours de leur présent, chantaient les louanges de
leur militaire-maître de l'univers. Seules, dans le
temple de Dan, les prêtresses aux seins flasques
honoraient la mémoire du passé. A présent,
Jeanne ne lui écrivait plus et Spéro ignorait dans
quel pays d'Afrique elle se trouvait. Quand il avait
de ses nouvelles, c'était par Debbie, que la famille
tenait informée par le menu et le détail de chaque
échelon de la carrière diplomatique de son mari.
A chaque fois qu'elle entendait ces vantardises,
Debbie se mettait dans tous ses états. Est-ce pour
cela que Malcolm X, Martin Luther King et tant
et tant d'anonymes avaient perdu leur vie? Pour
que des noirs aillent jusqu'en Afrique exécuter
les commandements du pouvoir blanc? Tout en
se gardant de la quereller, Spéro mettait toutes
ces paroles au compte de la vieille jalousie dont,
après tout ce temps, Debbie ne s'était pas guérie.
Pouvoir noir, pouvoir blanc, cela ne signifiait plus
rien. De même que l'argent n'a pas d'odeur, le
pouvoir n'a pas de couleur. Il n'est pas blanc. Il
n'est pas noir.

La vie est drôle, n'est-ce pas? Qui aurait dit
que Jeanne aurait fait le voyage de retour aux
origines?

Avant Anita.

En secret, Spéro avait écrit à l'ambassade pour
demander des nouvelles de son enfant. Très vite,
il avait reçu une réponse rassurante d'un des
secrétaires. Anita faisait l'orgueil de l'équipe du

Développement pour la paix. Son village de Paogo était devenu un village modèle. Sous son impulsion, les villageois s'étaient essayés avec succès à la culture du riz et avaient créé une coopérative vivrière. Mlle Jules-Juliette ne se contentait pas de ces travaux pratiques. Ayant appris la langue de la région, elle donnait des cours de théorie du développement aux hommes et aux femmes.

Son enfant, une spécialiste du développement? Allons donc! Spéro voyait là la main de l'ancêtre. Ah bon! Spéro avait traité sa mémoire comme un conte puéril? Ah bon! Il n'avait pas voulu se comporter en fils de Panthère? Il avait vécu son existence veule et sans ambition, sans jamais tourner la tête vers le pays d'où il venait? Ses crimes étaient sans pardon. Oui! c'est l'ancêtre et l'ancêtre seul qui punissait Spéro en s'emparant de ce qu'il chérissait le plus sur la terre et en ne lui laissant qu'un cœur et un esprit vides.

Quand Anita avait commencé de ne plus être Anita, rembarrant Debbie ou ne lui adressant que des monosyllabes aigres et grognonnes, Spéro avait cru tenir sa vengeance. Enfin! Le petit de l'oiseau passait la tête sous l'aile de sa mère, se secouait et se préparait à des vols d'exploration. Enfin! Son heure avait sonné, car il ne doutait pas que, dans ses désirs de liberté, Anita ne s'aventure dans son camp jusqu'à y basculer entièrement. Il arrangeait déjà dans sa tête les paroles qu'il allait lui dire pour la garder :

— Écoute, je ne suis pas ce qu'on t'a dit que je suis. Un vieux-corps, un moribond, un zombie qui n'a pas trouvé son sel! Simplement je veux prendre la vie comme elle est : une potion que rien ne peut sucrer. Je n'ai pas besoin de mensonges ni d'illusions dorées.

Mais cette fois encore son calcul était faux. Si Anita donnait dos à Debbie, ce n'était pas pour se tourner vers lui.

Au début de l'année 1980, en février très exactement, un homme vint occuper une maison de Hearst Street où personne n'avait mis les pieds depuis des années, à part quelques mauvais nègres en quête de mauvais coups. La rue Hearst était la principale artère d'un de ces quartiers noirs mal famés qui champignonnent à la périphérie des grandes villes pour la plus grande honte des bourgeois de même couleur qu'eux. Les gens de Charleston, qui aiment à remonter le temps jusqu'aux arrière-arrière-grands-parents de tous ceux qui ont le toupet de s'installer dans leur ville, étaient bien embarrassés. Personne, mais personne, n'aurait pu dire d'où sortait ce Frère Xangomusa. A cause de ses *locks* roussies qui tombaient jusqu'à la ceinture de son jean et d'une sorte de figure anguleuse à la Bob Marley, certains pensaient qu'il devait sortir de la Jamaïque. Pourtant ceux qui avaient entendu le son de sa voix affirmaient qu'il s'agissait sans aucun doute possible d'un natif natal de Brooklyn, NY. Les histoires les plus fantaisistes circulaient sur son compte. Les uns disaient qu'il avait passé des années avec les Indiens cholo de la Colombie en vendant pour se nourrir des paniers de vannerie aux touristes. Les autres, avec les Pygmées du Gabon, mangeant comme eux du miel et de la viande de singe boucanée. D'autres, avec les chasseurs de léopards du Kordofan à la lisière de l'Abyssinie. Les plus méchants murmuraient qu'il sortait d'un pénitencier de l'État du Colorado où le viol d'une fillette l'avait fait rentrer quinze ans plus tôt. D'autres enfin plus méchants encore affirmaient avec certitude qu'il était un des rares rescapés de cette secte de Jonestown qui avait sur la conscience le suicide de plus de 900 personnes.

Frère Xangomusa était entouré d'une douzaine de garçons et filles parmi lesquels trois blancs, assez sales et la tête pareillement rasée. Tout ce monde se mit à boucher les trous et à repeindre la façade de la maison de la rue Hearst, à jeter ses vieilleries au-dehors, à récurer ses planchers, à coller du papier à ses cloisons, à y faire rentrer des bancs, des chaises, de longues tables et divers instruments de musique. Au bout de ce remue-ménage, un beau matin, Frère Xangomusa se jucha sur le dernier barreau d'une échelle et accrocha à la façade récemment blanchie une banderole qui portait ces mots :

CENTRE D'AMOUR UNIVERSEL
La beauté n'est pas encore née sur notre terre

Les chômeurs et les drogués du quartier ne s'occupèrent pas. Ni les mères de famille et les vieux-corps abandonnés harassés par le souci de la survie. A présent, il apparaissait au grand jour que Frère Xangomusa appartenait à une espèce familière et bien connue depuis que le soleil éclaire notre monde. Car, depuis ce moment-là, la misère fait le lit de toutes qualités de doux nègres illuminés et prophétiques.

Du jour au lendemain cependant, tous ces gens

commencèrent d'avoir des oreilles pour entendre, quand Frère Xangomusa commença à prêcher sur KZOR, une petite radio religieuse que seuls les bigots prenaient jusque-là la peine d'écouter. Frère Xangomusa disait que l'Amérique n'était plus l'Amérique. A présent, elle n'enfantait ni héros ni dieux. Elle dérivait comme un navire sans boussole ni étoile pour le guider dans le ciel sur la mer sans fond du matérialisme. Privé de sa lumière, le restant du monde marchait sur la tête. Il n'était que laideur. Des millions d'hommes continuaient à vivre leur existence, sans lumière dans les yeux, sans espoir dans le cœur. A cause de cela, lui, Frère Xangomusa, avec l'aide de Dieu, lançait un appel. Il invitait tous les jeunes, eux dont le cœur n'était pas encore gâté-pourri par les valeurs d'embourgeoisement de leurs parents, à le rejoindre le dimanche pour des journées d'amour et de prière. Avant que la fureur de Dieu n'embrase l'Amérique et, à cause d'elle, le restant de l'univers, ils tenteraient de trouver les moyens de hâter la naissance de la beauté sur notre terre. En vérité, les paroles de Frère Xangomusa ne sonnaient pas nouvelles. On peut même dire qu'elles avaient comme un air de déjà entendu. Pourtant, telles qu'elles étaient, leur effet sur la jeunesse de Charleston fut saisissant. Dès le dimanche suivant, la maison de Frère Xangomusa fut assiégée par une quantité de jeunes noirs et quelques blancs qui se rasèrent la tête avec emportement et se mirent à prier et chanter avec lui. Le chiffre doubla le dimanche suivant, tripla quinze jours plus tard. Bientôt il n'y eut plus ni jours de dimanche ni jours de semaine. Désertant leurs parents, des jeunes s'installèrent à demeure à Hearst Street où, à toute heure du jour et de la nuit, on les entendait chanter des spirituals sur des rythmes de rap ou de reggae.

La tête chargée par ses soucis personnels, Spéro n'avait guère accordé ses pensées à Frère Xangomusa. Et puis ce « Centre d'amour universel » était-il tellement différent de l'église baptiste noire de Samarie et de tous ces lieux de prière? Aussi, le jour où Anita exhiba une chevelure tondue comme une pelouse, il ne fit aucune relation de cause à effet et commença par trouver que Debbie faisait beaucoup de bruit pour rien. Debbie était très fière des cheveux de son enfant, longs, fournis, plutôt frisés que crépus. Pendant des années, elle avait martyrisé Anita à les laver, graisser, peigner, natter en semaine, boucler le dimanche à grands coups de Babyliss. Elle les avait ornés de rubans, de nœuds, de barrettes qu'elle assortissait soigneusement à ses vêtements. Au cours de la dispute qui flamba entre la mère et la fille à l'instant même et les jours suivants, Spéro se contenta de marquer les points, suprêmement heureux qu'Anita accomplisse sa vengeance et hurle ce qu'il pensait tout bas. De Charleston et de sa bourgeoisie noire. Des Middleton. De l'église baptiste noire de Samarie. De Jim. De Debbie. Surtout de Debbie. A certains moments, il se retenait pour ne pas l'encourager.

Au mois de juin, la police entra par effraction dans la maison de la rue Hearst. Une jeune fille s'était trouvée enceinte et avait avoué à ses parents la vraie nature de l'amour de Frère Xangomusa pour ses disciples. On ne put rien prouver contre lui. Rien de rien. En fait de document suspect, l'accusation ne put fournir que les innombrables doubles de lettres qu'il adressait à divers chefs d'État pour leur demander de faire de leur pays le « premier Centre d'amour universel » de la planète. Une photo le représentait serrant la main du président du Zaïre. un des rares à avoir écouté son message. Pourtant, calomniez, calomniez, il en restera toujours quelque chose. D'autres jeunes eurent beau décrire, dans les journaux comme à la radio, le bouleversement tout spirituel qu'il avait opéré dans leurs vies, Frère Xangomusa dut quitter la ville et son centre fut décrété centre d'infamie. Laissant Debbie interroger maladroitement Anita, Spéro avait compris trop tard que dans sa guerre conjugale, il avait peut-être fait le jeu d'un vicieux. Regardant Anita à la dérobée, il aurait aimé se torturer de mille supplices. Il avait gardé dans les yeux l'image d'une adolescente, longue et noueuse comme une gaule à gauler les fruits à pain, et voilà qu'il se trouvait devant un datura fleuri en secret dans son écrin de verdure. Par sa faute, un nègre fou avait peut-être fait main basse sur le trésor de virginité de sa fille.

Il imaginait Frère Xangomusa forçant la porte des cuisses d'Anita, saccageant ses richesses enfouies en prenant son plaisir, déposant sa semence au fin fond de sa chair labourée et, du coup, il absolvait tous ces papas qui, au morne Verdol, voulaient abattre ceux qui osaient jeter les yeux sur les enfants qu'ils avaient faites.

Après cela, en apparence, la vie reprit son cours, pas plus maussade qu'avant, même si les yeux de

Debbie gardaient trace de la blessure. Les cheveux d'Anita, frisottant au-dessus de sa tête, la coiffaient en couronne comme ceux d'une madone italienne, donnant à Spéro l'infini regret de n'avoir pas la main d'un peintre de ce temps-là. Deux étés plus tard, elle les quitta pour Limann College avant de les abandonner tout à fait.

Il s'aperçut qu'il marchait au beau milieu du chemin sous la calebasse creuse du ciel, tirant des bordées de droite et de gauche comme un homme pris de boisson ou qui n'a pas l'usage de ses deux yeux. La pluie n'avait pas ralenti et il était trempé. Sans s'en rendre compte, il était arrivé au petit débarcadère. Le ferry s'appuyait au bout de la jetée qui s'allongeait par-delà les lumières jusqu'à toucher le fond de la nuit et on distinguait les lettres rouges peintes sur son flanc : *Magdalena*. Deux hommes en casquette et ciré de marin surveillaient la manœuvre des rares voitures qui quittaient le ventre de l'appareil, roulaient peureusement sur le quai, attendant de retrouver la route pour aller plus vite. Spéro resta debout, rendant leur salut à des conducteurs masqués par la noirceur, mais ne reconnut pas la 4 × 4 de Debbie.

Où était-elle alors qu'il l'attendait si fort pour recommencer la vie?

Il entra dans la salle d'attente où le vieil employé noir, le même qui vendait les billets depuis vingt-cinq ans, le salua d'un grand sourire. Comme un chien mouillé, il s'ébroua avant de s'asseoir sur un des bancs et à travers la vitre regarda sans la voir la figure triste de l'eau sur laquelle la lumière des lampadaires dessinait de grands ronds. Il se sentait pareil à un gamin que sa maman n'attend pas à la porte de l'école. Où était Debbie?

Est-ce qu'elle ne voyait pas qu'elle devrait rentrer à présent? Cela faisait belle lurette que Chaka était couché. A l'heure qu'il est, il devait déjà rêver : un rêve de liberté où sa mère et les amies de sa mère ne l'étoufferaient pas à coups d'amour. A présent, l'une en face de l'autre, dans le petit living-room, les deux femmes se parlaient comme seules les femmes savent se parler. Un de ces causers interminables sans commencement ni fin ni milieu, où la parole s'appuie sur la parole pour ramener au grand jour tous les déboires de l'existence depuis les bobos de l'enfance jusqu'aux tourments que font supporter les hommes. La conduite de ces deux femmes qui ne prenaient même pas en considération tout le plaisir qu'il leur avait donné à l'une comme à l'autre lui faisait l'effet d'une ingratitude. Est-ce qu'elles oubliaient l'eau salée dans leurs yeux, les gémissements, les plaintes? Elles étaient là à s'en raconter de vertes et de pas mûres sur son compte! Elles étaient là à ajouter histoires sur histoires!

Est-ce qu'elles avaient le droit de le mettre en accusation derrière son dos? Debbie ne lui avait jamais donné une faveur pour s'expliquer. Elle interprétait sa conduite à sa manière, et puis elle le condamnait. Lui qu'à un moment de sa vie elle avait aimé, elle en était venue à le prendre comme un homme plein de vices et sans moralité.

L'été où Frère Xangomusa avait quitté Charleston dans la honte et les articles fielleux des journalistes avait été terrible pour Spéro. Trop tard, trop tard, à présent que le mal était fait, et bien fait, il avait essayé de comprendre. Qu'est-ce qu'Anita était allée chercher au Centre d'amour universel? D'abord, il avait mis toute cette affaire-là au compte du système d'éducation de Debbie qu'il n'avait jamais apprécié. Trop de leçons sur la grandeur de la race et de l'Afrique, de cours de solfège et de violon, de séances de danse africaine et moderne, trop de concerts et de films éducatifs, de lectures édifiantes, de sermons à l'église de Samarie et à la *sunday school.* Ligotée comme une momie par toutes ces bandelettes, l'enfant suffoquait, c'est forcé, et cherchait de l'air libre. N'importe où!

D'accord! Mais est-ce qu'il n'aurait pas pu s'opposer aux manières de Debbie? Dans un gros coup de colère, est-ce qu'il n'aurait pas pu frapper du poing sur la table.

— Tonnerre me brûle! Ce n'est pas ce que je veux pour mon enfant! Pourtant qu'est-ce qu'il voulait pour Anita? Il n'aurait pas su le dire. Comment élève-t-on un enfant?

C'est qu'il avait grandi à la-n'importe-comment sur le morne Verdol! A part les radotages de Justin, le catéchisme du père Delumeau et les leçons de l'école, on n'apprenait rien. On s'initiait au sexe en regardant les parents par le trou de la serrure. A la mort en assistant aux veillées. Bien à regret, il avait fini par admettre que cet échec avec Anita était aussi le sien. Il était responsable par omission, par irresponsabilité. Du coup, le remords et les cauchemars le réveillaient en plein milieu de la nuit. En rêve, il voyait son Anita prostituée nue et offerte, posée comme un datura sur un lit de velours rouge en attendant que des malabars la pénètrent.

Dans sa mauvaise conscience, il était allé rôder rue Hearst. Autrefois, du temps qu'ils étaient « l'Un et l'Autre », il accompagnait Debbie qui, une fois le mois, passait son samedi avec une demi-douzaine de bénévoles dans un des quartiers noirs les plus déshérités. A mesure qu'il vivait en Amérique cependant, il s'était persuadé que tous ces efforts-là, pour bien-pensants qu'ils soient, étaient inutiles. Une goutte d'eau dans la mer d'indigence où certains coulaient à pic. A présent, il ne s'aventurait plus au-delà d'un territoire délimité par son atelier, le Montego Bay et Crocker Island.

La rue Hearst ressemblait à des quantités d'autres rues de quantités d'autres ghettos de quantités d'autres grandes villes. Ni plus ni moins sordide. Les mêmes sans-travail buvant du vent sur le devant des portes. Les mêmes soiffards buvant de l'alcool à l'intérieur des bars. Les mêmes adolescents agrippés à leurs postes à transistors. Les mêmes enfants jouant les éternels jeux de l'enfance. La banderole du Centre d'amour universel à moitié déteinte à présent et flottant dans le vent comme un drapeau barrait encore la façade d'une maison qui des années plus tôt avait dû faire l'orgueil de ses propriétaires. Dans le jardin pas plus large que le plat de la main, des azalées entouraient un de ces bananiers sans force qui

faisaient toujours rire Spéro. Mais il n'avait pas
le cœur à rire ce matin-là en rentrant à l'intérieur.
Le rez-de-chaussée était occupé par une grande
salle décorée de tout un bric-à-brac de reproductions de déesses hindoues, de Jésus-Christ et de
saints catholiques, de photos de Mère Teresa, de
Winnie Mandela, de Notre-Dame de Paris et de
Saint-Pierre de Rome. Une bâche bleue accrochée aux arbres de la cour abritait des tables et
des chaises. Aux étages étaient les dortoirs. La
police avait posé les scellés sur une porte. Probablement celle de la chambre du Frère Xangomusa. Pourtant elle s'ouvrit en douceur sur
une cellule crasseuse : un lit futon, des coffres de
marine et une vieille malle en osier. C'était peut-
être là, dans ce cadre hideux, que cela s'était
passé? Spéro aurait voulu recevoir mille coups de
fouet comme le Christ qui ornait la cloison.

Au sortir de la maison, il entra dans un bar et
se saoula avec des hommes aussi désespérés que
lui.

Voilà pourquoi il avait été tellement content
de la liaison d'Anita avec Roy, un de ses cama-
rades de lycée, le matin buveur de lait et de jus
d'orange, le soir buveur de bière et fumeur de
marijuana. Normal, quoi! Il s'était senti rassuré.
Est-ce que ces amours-là n'étaient pas la preuve
qu'il ne s'était rien passé avec Frère Xangomusa?
Qu'Anita n'était pas mortellement blessée comme
il le redoutait? Que rien enfin ne s'était passé
qu'elle n'ait pas pu oublier en l'espace de quelques
mois? Roy Wilkerson Jr, fils du premier juge de
paix noir depuis l'époque de la reconstruction,
faisait partie de ces jeunes gens de bonne nais-

sance qu'aux anniversaires et autres cérémonies
Debbie aimait à réunir autour d'Anita en prévision d'alliances futures. La famille Wilkerson
s'était illustrée dans la bataille pour les droits
civiques à Charleston, prenant la tête de plusieurs
sit-in tant devant les hôpitaux que sur les terrains
de sport ou dans les restaurants. C'est ainsi que
Roy Sr avait passé trois semaines sans bouger
d'une semelle devant le Old Battery Inn, hôtel
sélect qui refusait de servir les noirs. Aussi, dès
1974, il avait été récompensé de sa peine par
cette nomination enviée. C'était un petit homme
un peu pète-sec qui exerçait sa fonction en toute
impartialité. Aussi, les noirs commençaient-ils de
grogner qu'il se comportait comme un blanc. Roy
Jr, quant à lui, était un lourdaud plus intéressé
par les romans de science-fiction que par ces
bavardages sur les luttes d'antan pour les droits
civiques. Ni plus beau ni plus laid qu'un autre.
Pourtant Spéro était trop connaisseur en matière
de corps pour ne pas sentir qu'Anita et lui avaient
grand goût l'un pour l'autre. Dans sa joie, il décida
de les protéger. Il signait les yeux fermés les notes
d'absence d'Anita. Il couvrait ses mensonges à sa
mère. Si elle ratait le dernier ferry et rentrait au
petit matin, il l'admirait en douce quand elle débi-
tait des fariboles à Debbie et, le cœur tout content,
détaillait les cernes autour de ses yeux et les petits
plis de fatigue autour de sa bouche. A force de
l'épier, il arriva à découvrir dans quel endroit elle
rencontrait Roy : chez la grand-mère du garçon,
innocente vieille dame plus qu'à moitié aveugle
et percluse par les douleurs, qui les remerciait du
fond du cœur de venir si souvent mettre de l'ordre

dans sa maison. Il se garait non loin pour le seul plaisir de la voir, radieuse, dépeignée et rhabillée en vitesse, se précipiter au volant de la Toyota que Debbie lui avait offerte pour ses 16 ans.

Est-ce qu'il pouvait se douter de la manière dont tout cela allait finir? Est-ce qu'il pouvait se douter que Debbie allait à son tour découvrir la vérité, mais d'une manière autrement plus douloureuse que la sienne? Qu'un de ces drames sans originalité, parce qu'ils se jouent et se rejouent depuis qu'il y a sur cette terre des filles qui font l'amour en cachette de leurs parents, allait prendre place à Crocker Island? Cela avait été un des moments les plus douloureux de toute leur vie, quand ils s'étaient retrouvés avec Anita après la mise à mort de leur premier petit-enfant. Elle était là, hostile et inerte, refusant de les regarder, refusant de leur parler et montrant dans toutes ses attitudes qu'elle les confondait dans la même culpabilité.

Oui, Anita lui était plus précieuse que la prunelle de ses deux yeux, et pourtant tout cet amour dans son cœur n'avait pas plus de prix qu'un billet de banque dévalué. Il n'avait rien su lui apprendre. Il n'avait rien su lui donner. Il n'avait pas su la guider. Ni l'entourer d'une barrière haute, haute à barrer les mauvais coups de l'existence. En conclusion, sur ce point-là comme sur tous les autres, Debbie avait raison. Il avait été un mauvais père! Un très mauvais père! Il ne méritait pas le pardon.

Le vieil employé du ferry, le même qui vendait les billets depuis vingt-cinq ans, surgit devant les yeux de Spéro, un sourire étiré sur sa bouche, et

lui tendit un gobelet de carton. Le geste le toucha
en un pareil moment alors qu'il se sentait si faible,
si seul et c'est avec gratitude, presque des larmes
dans les yeux, qu'il but l'eau de café brûlante.
Avec le même sourire qu'on aurait dit fixé à
jamais sur sa bouche, le vieil homme s'assit à côté
de lui et commença une histoire interminable où
il était question de la grande fierté que lui causait
son fils en s'engageant dans les marines et de ses
yeux qui baissaient tellement qu'il confondait tous
les billets de banque et ne pouvait plus rendre la
monnaie. A cause de cela, les blancs de la Compagnie de navigation qui toutes ces années-là ne lui
avaient pas ménagé les avanies voulaient le mettre
à la retraite. Debbie était parfaite pour écouter
ce genre d'histoires-là, trouver quelques paroles
d'encouragement pour la lutte contre les blancs
qui n'était pas une affaire morte et enterrée, loin
de là, tout en critiquant, mine de rien, l'engagement du fils dans les marines. Est-ce qu'il ne
savait pas le sale travail que les marines faisaient
tout partout à travers le monde contre les pays
des autres noirs? Voilà pourquoi certains l'ado-
raient, Debbie. Quand elle avait accouché d'Anita,
les visiteurs s'étaient succédé dans sa chambre
d'hôpital et les infirmières ne savaient plus que
faire des gerbes de glaïeuls, de roses de Chine et
d'oiseaux de paradis qu'on lui apportait. D'autres
au contraire la trouvaient un peu trop Middleton
pour leur goût, c'est-à-dire, dans le fond, terri-
blement arrogante.

Lui, Spéro, ne savait jamais que dire aux gens
et, devant son silence, le vieil employé se lança
dans un autre récit plus détaillé encore. Dans le

temps qu'il était enfant, il devait se rendre en canot à rames à John's Island, la plus rapprochée des Sea Islands à posséder une école. Comme les autres, John's Island était une terre vierge, un fourré inextricable de pins, de cyprès, de sycomores et de chênes aux branches largement étendues d'où la mousse espagnole pendait en guirlandes et en festons. Les herbes coupantes montaient à hauteur du toit de l'école et cachaient toutes qualités de serpents, portant des poisons mortels dans leurs gueules. C'étaient les épouses des ministres méthodistes qui faisaient la classe, pâles, si pâles et coiffées de lourds chapeaux de feutre ou de paille selon la saison. Comme elles ne savaient pas grand-chose elles-mêmes, elles n'apprenaient guère aux enfants qu'à chanter et à prier Dieu. La première fois qu'un vrai maître noir avait mis les pieds à John's Island, c'était en 1936, la dernière année qu'il était à l'école. C'est pour cela qu'il ne savait ni lire ni écrire. Est-ce que Spéro voulait une deuxième tasse de café?

Machinalement, Spéro fit oui de la tête et le vieil homme planta devant l'appareil à sous sa silhouette bancale. Des brins de cheveux sortaient par en dessous de sa casquette et touchaient le col de son blouson.

Où était Debbie? Était-ce vrai qu'il ne pouvait plus compter sur son pardon? Est-ce qu'elle ne savait pas qu'il faut pardonner et pardonner encore?

Quand il était petit, assez petit pour lui obéir, après le déjeuner du vendredi saint qui se composait en tout et pour tout d'une tranche de poisson blême en *blaf* et d'une pomme de terre en robe des champs, Marisia lui enfilait un short et une chemisette de drill blanc, des socquettes blanches et une paire de chaussures de tennis passées au blanc d'Espagne. Elle-même était vêtue de noir comme si elle portait le grand deuil, boutonnée jusqu'au col, les cheveux tirés en arrière, lissés à la brillantine Roja et roulés en chignon. Dans son cœur, il la trouvait très belle, avec son teint blanc, presque aussi blanc que celui des blancs et ces cernes éternels que le chagrin lui dessinait autour des yeux. Sans même prendre la peine de se regarder dans la glace, elle assurait son chapeau sur sa tête, une toque de paille noire qu'une grande plume d'oiseau de même couleur traversait de part en part. Lacpatia, sa maman, avait porté le mouchoir, mais vu ses quelques années d'école, son apprentissage de couturière, elle-même avait toujours été en chapeau. Puis elle prenait Spéro par la main. Dehors, elle ouvrait au-dessus de leurs têtes un parasol, fait de lés de coton violet et descendait le morne jusqu'à l'église Saint-Jules. Comme le parasol, trop haut perché, ne le protégeait pas du feu du soleil de 2 heures de l'après-midi en Carême, à peine avaient-ils fait quelques pas au-dehors que la sueur commençait de dégouliner le long de son dos et mouillait son linge. Il supportait, car il savait que ce jour-là n'était pas un jour comme les autres : le bon Dieu était mort. Pas pour longtemps quand même. Il reviendrait avec les cloches du samedi Gloria.

Tout le long du canal Vatable, les femmes allaient, pareillement vêtues de noir, la figure figée dans la tristesse et déjà en prière, leurs enfants les suivaient à quelques pas, les bras écartés raides autour du corps, gênés par cette sueur qui leur coulait dans le dos. Comme Spéro, tous sentaient que ce jour-là n'était pas le jour à faire du désordre ni à se livrer aux chamailleries habituelles. Aussi évitaient-ils de se regarder pour ne pas en avoir la tentation. Sur le parvis de l'église, Marisia forçait Spéro à s'agenouiller à deux genoux à même les dalles brûlantes comme des carreaux laissés au feu et guidait sa main dans un grand signe de la Croix qui lui touchait le front, la poitrine et puis les deux épaules.

Quand enfin on entrait à l'intérieur, l'église était fraîche. Marisia allumait trois cierges devant la niche de sainte Thérèse de l'Enfant Jésus, dont la statue était comme toutes les autres recouverte ce jour-là d'une lourde housse violette. Puisqu'on était arrivé une bonne heure avant le commencement de l'office, il y avait encore des places pour s'asseoir. Marisia choisissait un banc, tombait à genoux sur le prie-Dieu et, la tête serrée entre ses deux mains, oubliait entièrement Spéro. Il ne pouvait s'empêcher de l'entendre pousser des soupirs et marmonner d'une façon incompréhensible. Des fois même, de l'eau coulait entre les nœuds de ses doigts. Spéro savait que ce chagrin-là était en rapport avec Justin, mais il ne savait pas exactement pourquoi. Cela le gênait, car il avait l'impression de surprendre une confidence, une conversation qui ne lui était pas destinée. Aussi, il tournait la tête et regardait dans toutes les directions. En haut, vers le toit pareil à une carène de navire. A droite, à gauche, vers les grands vitraux qui dessinaient dans leurs bleus, leurs jaunes, leurs oranges cernés d'épais traits noirs des scènes de la religion qu'il ne comprenait pas très bien. Il n'y avait que certains points que son regard évitait soigneusement : les fresques de céramique illustrant le chemin de la Croix de Notre Seigneur Jésus-Christ. Tout à l'heure, quand l'office serait commencé, le bedeau frappant violemment le sol de sa canne et précédant une petite procession de prêtres et d'enfants de chœur vêtus de surplis blanc par-dessus leurs robes violettes s'arrêterait devant chacune d'entre elles. Notre Seigneur Jésus-Christ lui faisait peur avec sa couronne en épines posée en travers, sa figure en sang et cette croix trop lourde pour lui qui le jetait à terre sous les pieds des passants. Il en rêvait la nuit. Marisia lui avait expliqué ce que cela signifiait : la miséricorde du bon Dieu pardonne au pécheur jusqu'à la quatorzième faute.

Est-ce qu'à lui aussi Debbie avait pardonné jusqu'à quatorze fois?

Il se rappelait le premier pardon. Le plus mémorable. Jeanne l'avait laissé dans la morosité. Au commencement, il avait cru que cela passait sur lui sans le frapper. Et puis, il s'était trouvé la peindre à grands coups de pinceau furieux avec trois seins-mamelles, une bouche en cratère de Pinatubo et quatre yeux s'ouvrant aux quatre coins d'une figure diabolique et vicieuse. Debbie, quant à elle, semblait tellement accaparée par son nouveau-né qu'elle avait l'air d'oublier tout ce qui n'était pas l'espace de son berceau, un berceau à bascule en bois de chêne dans lequel les enfants Middleton dormaient depuis trois générations.

Esseulé, il passait la plus grande partie de son temps au Montego Bay, se demandant à quoi il servait exactement sur la terre. Un après-midi, fatigué de boire son existence, il était rentré plus tôt à Crocker Island. Par le ferry de 14 heures 30. Sa clé avait tourné tout doucement dans la serrure. La maison semblait dormir, comme le nouveau-né despote qui à présent la commandait. Il avait traversé le hall et était entré dans la cuisine. Debbie s'y trouvait, assise devant la table, immobile, affaissée, la tête serrée entre les mains, lui remettant aussitôt en mémoire l'image de Marisia, sa maman, pleurant par la faute de Justin. A la différence, quand Debbie avait relevé la tête, ses yeux étaient secs, comme si la trop facile consolation des larmes lui était refusée, noirs, ternis par une désespérance sans fond. Il n'avait pas trouvé une seule parole à lui dire. Il s'était glissé à ses pieds, passant les bras autour de sa taille, la serrant, la serrant comme s'il ne pouvait pas se contrôler et enfonçant la tête dans le creux de ses genoux. Pour commencer, elle était restée très raide; rigide; puis, peu à peu, il l'avait sentie mollir comme si elle fondait à la chaleur de son remords. Au bout d'un moment, elle avait posé la main sur ses cheveux tandis qu'à travers l'étoffe il couvrait de baisers le centre de son corps, l'endroit même par lequel il l'avait si laidement offensée.

Après ce premier pardon pourtant, ses belles résolution n'avaient pas vécu bien longtemps; car l'adultère est un goût qui se prend. Et puis toutes ces conquêtes lui redonnaient confiance en lui-même, dans ces temps où il en avait grand besoin. Même dans la haute saison touristique où Américains venus de tous les États, Canadiens, Anglais, Allemands se pressaient à Charleston pour admirer les jardins et les parcs de ses grandes maisons coloniales, son atelier restait désert. Les rares touristes qui s'y aventuraient tournaient le dos bien vite comme s'ils s'étaient trompés de chemin. Quand les amies et les collègues de Debbie se réunissaient entre femmes pour aborder des sujets fort sérieux comme les violences meurtrières des gangs ou les incidences de la guerre du Viêt-nam sur la famille noire, ou tout simplement pour causer entre femmes des causers de femmes, relégué à la cuisine comme un objet offensant, sournoisement il les épiait et perversement jetait son désir sur celle qui lui semblait la plus grave et la plus déterminée. Il avait sa théorie. Ces grands airs-là cachaient toujours un désarroi et une solitude sans fond. Ces bouches-là, qui énonçaient des chapelets de statistiques, n'attendaient que des baisers pour se pâmer. Et c'est un fait qu'il gardait le souvenir de plus de succès que de défaites. Il est vrai que le souvenir des défaites, il l'enfouissait bien vite dans un coin d'oubli de sa mémoire. Sauf une dont les années n'avaient pas pu effacer la brûlure. Elle se faisait appeler Amanda, même si ses parents l'avaient baptisée Louise. Les gens chuchotaient qu'elle avait pris refuge chez eux à la suite d'une dépression nerveuse et même de deux tentatives de suicide. Celles-ci étaient causées par ses année de vie à New York, où elle avait cherché en vain d'autres emplois que des figurations sans intelligence dans des films à petit budget ou des *sitcoms*. Et Dieu sait si Amanda était belle.

La première fois que Spéro l'avait vue de son poste d'observation dans la cuisine, cette beauté-là illuminait le salon assez sans joie de la maison de Crocker Island. Elle éclaboussait le papier peint à rayures gris-bleu, çà et là frappé de grosses roses jaunes, qu'il s'était promis de changer des centaines de fois. Elle ricochait contre les portraits de groupe des Middleton et la photographie de George, le présumé martyr, que Margaret avait placé en évidence au-dessus de la fausse cheminée. A la manière dont elle mordillait un rectangle de fromage, Spéro sut qu'elle s'ennuyait à mourir et que la faillite des églises noires, thème de la réflexion de ce jour-là, la laissait froide comme marbre. Le soir même, Debbie l'avait retenue à dîner, non par aveuglement, il l'avait compris bien trop tard, mais sachant ce qui n'allait pas manquer de suivre pour s'offrir un spectacle de choix.

Amanda était en guerre avec sa prope image. Si elle produisait tant d'effet sur les gens, en même temps elle n'avait pu lui offrir la seule chose qu'elle désirait : son nom en grosses lettres à l'affiche d'un théâtre de Broadway. Cette guerre continuelle contre elle-même la rendait fantasque, imprévisible, impossible à déchiffrer. Tantôt elle était toute séduction; tantôt elle s'acharnait à détruire cette séduction. Elle ne repoussa pas Spéro. Au contraire, elle l'accueillit comme si elle avait reconnu en lui une âme toute pareille à la sienne. A la fin de l'après-midi, elle venait le surprendre dans son atelier. Examinant les toiles de ses yeux lumineux de myope, elle lui disait en toute franchise qu'elles avaient un air de déjà vu. Tout ce figuratif n'était-il pas dépassé? En sortant de l'atelier, ils allaient flâner bras dessus bras dessous dans le vieux marché aux esclaves où il se pavanait, rendu faraud par le regard de tous les hommes qui l'enviaient. Pendant les dîners à l'italienne qu'ils mangeaient dans la cuisine en parlant à voix basse parce que ses parents somnolaient de l'autre côté de la cloison, elle lui disait des choses qu'elle n'avait dites à personne. Elle n'approuvait pas le ghetto dans lequel les femmes noires s'enfermaient pour pleurer en l'absence de leurs mâles. Elle-même avait eu beaucoup d'amants blancs, un Japonais et elle avait même failli épouser un Anglais. Si elle avait rompu, c'est qu'il haïssait les enfants alors qu'elle, en vraie femme noire, entendait bien en avoir une maison pleine. Les yeux languides, elle l'interrogeait sur Paris, Ville lumière. Pour la retenir captive, il lui décrivait tout ce qu'elle voulait. La place des Vosges. Les terrasses de Saint-Germain-des-Prés. La passerelle du pont des Art jetée d'un rêve à un autre. Montmartre. Par contre, il ne lui parlait pas du morne Verdol, car à quoi bon mentir? Les Antilles ne l'intéressaient pas. Elle s'était rendue aux Cayman Islands avec son Anglais et s'était ennuyée à périr devant tout ce sable et toute cette eau. Il ne lui parlait pas non plus de l'ancêtre. Car pour elle l'Afrique n'existait plus que dans les fantasmes des esprits malades de la diaspora. Elle s'était rendue à Abidjan avec son Japonais et n'avait vu que des tours, des ponts et de préten- tieux hôtels avec piscine. Les gens lui baisaient les mains et les pieds en apprenant qu'elle était américaine. Tout au long du dîner, ils buvaient du cognac Hennessy dans des flûtes à champagne et elle divaguait de plus belle. Il fallait mettre un terme à cette histoire de noirs et de blancs qui n'en finissait pas de faire souffrir l'Amérique. Noirs ou blancs, les hommes font l'amour de même manière, elle pouvait en témoigner, et sous leur peau le même sang coule rouge. Près de vingt ans après la mort de Martin Luther King, les fils d'anciens esclaves et les fils d'anciens proprié- taires d'esclaves ne s'asseyaient pas ensemble à la table de la fraternité. A vrai dire, il ne l'écoutait guère et ne se souciait pas de la contredire. Il n'était attentif qu'aux mouvements de ses seins, libres sous la soie des blouses et aux ombres de ses cils sur ses paupières bistres. A 11 heures 45 très précises, elle arrêtait net ses divagations et le mettait à la porte, à temps pour le dernier ferry.

Le soir où, n'en pouvant plus, Spéro s'était déclaré, elle avait ri sans méchanceté, comme devant un petit enfant qui veut la lune et long- temps, longtemps ce rire-là lui avait tinté dans les oreilles. Après cela, sans se rendre compte qu'elle le mettait à l'agonie, elle continuait de le surprendre dans son atelier et de l'inviter à manger de *fettucini* dans sa cuisine.

Un beau jour, elle prit l'avion pour New York et, dans la réprobation générale, épousa un architecte juif. Son nom ne devait jamais apparaître à l'affiche de Broadway. Debbie, qui lui rendit visite pendant son séjour à New York, la décrivit apparemment heureuse, son premier-né entre les bras.

La salle d'attente, refroidie par tous ces souvenirs, sembla soudain glaciale.

Le vieil employé, tournant et retournant son gobelet vide entre ses mains, parlait de la grande marche sur Washington, à laquelle il prétendait avoir participé. Spéro semblait le croire. Pourtant, il n'avait qu'à le regarder en face pour savoir qu'il avait passé ce mois d'août 1963 terré dans sa maison, craignant de recevoir une balle perdue. Les gens racontaient toutes sortes d'histoires pour faire croire qu'en ce temps-là ils avaient été militants. Il se leva et alla coller sa figure contre la vitre. A travers les gouttes serrée de la pluie, il vit briller les lumières de Charleston, allongée le long de sa péninsule. Est-ce que Debbie lui avait pardonné quatorze fois? Et puis, est-ce qu'elle était tellement sans péché pour lui jeter la première pierre?

Tout le monde la croyait digne de figurer au grand livre des records de la fidélité conjugale. Était-ce la vérité? Il était en mesure d'affirmer qu'en l'année 85 elle avait eu un amant. Bien sûr, on lui demanderait des preuves. Est-ce qu'un mari a besoin d'autres preuves que celles que lui donnent son cœur et sa chair? On s'était toujours trompé sur le compte de Debbie. On la jugeait sur la mine. Aux parties de son adolescence, au lieu de danser le be-bop, elle comptait les fleurs des tapisseries derrière son dos parce que les cavaliers avaient peur de l'approcher. A l'université, personne ne trouvait la force et le courage de lui parler d'amour puisqu'elle ne parlait que des droits civiques.

Pourtant Spéro savait comme, derrière ces grands airs assurés, elle était tendre et friable. Est-ce que le soir même de leur rencontre, elle n'avait pas fondu sous lui, libérant une eau torrenticlle et brûlante?

Il n'avait jamais emmené de femmes sur le morne, suivant ses rares conquêtes entre les planches de leur taudis du Morne-à-Cailles. Aussi, il sentait bien que pour une première nuit d'amour, sa chambre ne convenait pas.

S'aidant de ses amis, Romulus avait agrandi la maison basse que son papa lui avait laissée avec mauvais cœur. Il avait ajouté une case à eau avec trois fûts qui prenaient l'eau par une gouttière et surtout une chambre pour Djéré avec un lit, un bureau et une armoire pour serrer ses affaires. Au cas où son père sortirait d'Afrique pour le chercher, il ne voulait pas de reproches. Pendant trente ans, la maison était restée en l'état jusqu'à ce que Marisia se mette à faire des enfants l'un sur l'autre. Trois en six ans. Comme il ne fallait pas compter sur Justin pour un travail utile, elle demanda le secours de son petit frère Florimond qui, Dieu fait bien les choses, était maçon. Florimond fit monter une bétonneuse jusqu'à la tête du morne Verdol et abandonnant ses quatre chantiers de l'Assainissement, ajouta deux

chambres à la maison de sa sœur. Tout le temps
que durèrent les travaux, il ne prêta pas attention
à Justin qui, les mains derrière son dos, donnait
des commandements sur la hauteur des murs.
Quand tout fut terminé, Justin choisit pour son
Spéro la plus vaste des deux chambres. La fenêtre
avait vue sur le clocher de l'église Saint-Pierre et
Saint-Paul et les aiguilles de son horloge. Derrière
le clocher, on apercevait les transatlantiques qui
se reposaient le long du quai et un grand pan
bleu de mer. De retour de Lille, Spéro avait fixé
aux cloisons qu'il avait repeintes en couleur blanc
cassé deux reproductions de tableaux qu'il aimait
tout particulièrement : *L'Ile de la Jatte* de Seurat
et *Madame Charpentier et ses enfants* de Renoir, ce
qui fait que la chambre avait quand même bon
air. Pourtant, était-ce le cadre pour une première
nuit d'amour?

Il avait entendu parler de l'hôtel-restaurant Le
Grand Large à Bas-du-Fort. Mais en ce temps-là,
je parle de 1963, seuls les békés et les bourgeois
mulâtres fréquentaient les hôtels de la Guadeloupe. Aussi, c'est un Spéro bien embarrassé de
sa personne qui se présenta à la réception. Le
réceptionniste toisa le couple de la tête aux pieds,
puis des pieds à la tête, notant chaque détail du
bon costume de coutil bien repassé que Spéro
avait mis et se demandant sans son esprit soup-
çonneux si Debbie n'était pas quelque négresse
anglaise venue de la Dominique. Tout de même,
il leur donna une vaste chambre remplie de
l'odeur de sel de la mer. Des anthuriums couleur
de chair pâle remplissaient les vases et la lumière
jaillissait d'un lampe en forme de poisson d'or.

Spéro tremblait de peur à l'idée de coucher sous son corps cette grande fille, trop belle pour lui. Pendant qu'elle ôtait ses vêtements, il se réfugia sur la terrasse, priant dans son cœur pour qu'un raz de marée aussi terrible que celui du cyclone de 1928 dont les vieux-corps de La Pointe gardaient encore la mémoire se lève et ne fasse qu'une seule bouchée avec lui. Pourtant le souvenir de la nuit qu'ils vécurent, vingt-cinq ans plus tard, ne pouvait quitter son esprit, car aussitôt, ils domptèrent la bête du plaisir sans bride, sans selle, sans licou.

Oui, son cœur et sa chair pouvaient fournir la preuve qu'en l'année 1985, l'année même de ses 40 ans, Debbie avait pris un amant.

Et quel amant! Une femme qui prend un homme plus jeune qu'elle se dérespecte! C'est connu comme l'abomination des abominations depuis que le soleil éclaire la terre. Elle n'apporte pas seulement la honte sur son nom, mais le ridicule aussi. L'année 1985 avait commencé comme la précédente avait fini, dans la désunion familiale. Anita promenait à travers la maison sa figure de plus en plus coupante et rugueuse. Elle venait d'annoncer sa décision d'étudier à Limann College. En lui montrant ses plateaux, Mamie Garvin, la vieille servante, perdait sa peine à la supplier d'ouvrir ses fenêtres au moins pour laisser

passer l'air. Debbie et Spéro continuaient de che-
miner, l'un à côté de l'autre sans se regarder ni
se parler, Spéro, tout endolori d'avoir laissé Arthé
s'éloigner de sa vie. C'est pourtant cette année
1985 que choisit Isaac Jamieson, historien déjà
remarqué à cause d'un livre sur les premiers habitants noirs de la Californie, pour débarquer à
Charleston. Car il souhaitait s'attaquer à présent
à la très fascinante communauté des noirs artisans
libres et eux-mêmes possesseurs d'esclaves de la
Caroline du Sud.

Isaac s'amena un matin d'inhabituelle froidure
du mois de janvier de cette année sans grâces.
Depuis plus d'une semaine, le « marais de l'Indien » était recouvert d'une croûte de glace et
jour après jour, le givre durcissait les haies et les
sols. A plusieurs reprises, en gros flocons, la neige
était tombée et des paquets d'une blancheur dou-
teuse traînaient encore sur les talus, les toits et
les branches dénudées des arbres. Les yeux noirs
d'angoisse sous son foulard, Mamie Garvin rappelait qu'il n'avait pas neigé dans les îles depuis
les mois précédant la mort de Martin Luther King.
Sûrement, ce signe-là présageait quelque autre
action scélérate des blancs. La tête chargée par
ses soucis, Debbie n'écoutait guère Mamie Garvin. De même, elle n'avait plus en mémoire sa
correspondance de l'été avec Isaac Jamieson et le
regarda comme un esprit malfaisant quand Mamie
Garvin le fit entrer dans la cuisine. Lui-même,
intimidé, ne pouvait que rappeler les lettres
oubliées et tortiller un bonnet de laine entre ses
mains. Il ne retrouva des manières qu'après la
seconde tasse de café et on s'aperçut alors qu'il

était beau, moins jeune qu'il ne paraissait à l'abord, au moins 30 ans, et très pédant.

Il commença tout de suite à parler de lui-même avec emphase. Il était diplômé de Harvard. Mais comme il était originaire de San Francisco, fils unique de parents âgés et mal portants, il n'avait pas prêté attention à des propositions autrement alléchantes et avait choisi d'enseigner à Berkeley. De *Longtime California*, son premier livre, malgré le grand renom qu'il lui avait attiré, il ne se glorifiait pas. D'une certaine manière, ce n'est pas lui qui l'avait écrit. Il s'était contenté de recueillir la parole de ses parents, de ses grands-parents et de leurs amis. Melchior, son grand-père, ne savait ni lire ni écrire. Sa femme et ses deux premiers garçons cachés en plein mois de juin sous d'épaisses couvertures dans le fond d'une carriole à cheval, voyageant à l'abri de la noirceur de la nuit, se cachant de la clarté du grand jour dans la peur des blancs qui à l'époque accrochaient tous les nègres qui croisaient leur chemin à la tête des arbres, il avait quitté l'Alabama poussé par la folle envie d'une vie meilleure. En Californie, il s'était usé dans les mines, dans les hôtels, dans les trains. Après lui, ses garçons avaient trouvé de l'emploi dans les chantiers navals du port d'Oakland. Toute la famille avait fondu en larmes quand elle avait tenu entre les mains le livre qui racontait ces années de souffrance et d'odyssée. *Longtime California* n'était donc que l'expression de son devoir filial. Son vrai travail d'historien commençait à présent.

Spéro avait en horreur les bardés de diplômes, faiseurs de paroles, radoteurs de sempiternelles

histoires. Aussi, à la troisième tasse de café, il
s'était hâté de laisser Isaac et Debbie, nostalgiques
et secoués de la même émotion, assis de part et
d'autre de la table de la cuisine, et avait pris le
chemin de son atelier dans sa vieille Studebaker.
Dans un pays où chacun se jugeait à sa voiture,
il affectionnait ce tank démodé et poussif qui
souvent le lâchait au beau mitan de l'autoroute.
Par la suite, Isaac était souvent revenu à Crocker
Island avec d'autres bavards de même qualité que
lui. A chaque fois, Spéro inventait des prétextes
pour s'en aller et les laissait festoyer sur le passé.
Il savait ce que tous ces gens pensaient de lui sans
rien dire tout haut pour ne pas chagriner Debbie;
mais leur mépris glissait sur lui. D'ailleurs, il leur
rendait la pareille. Pour lui, ces grands esprits
n'étaient que des tigres de papier, de gigan-
tesques dragons peints de carnaval. Sous leurs
belles phrases et leurs discours, se cachaient la
honte et la peur de leurs frères du ghetto et de
la drogue dont le nombre chaque jour croissant
leur prouvait que leurs grands combats n'avaient
servi qu'au mieux-être d'une poignée de chan-
ceux. Élevés qu'ils étaient dans la connaissance
de la Bible, ils devaient bien s'avouer qu'ils
n'étaient rien d'autre que ces pharisiens vomis
par le Saint Livre.

Spéro savait que Debbie et Isaac passaient de
longs moments à feuilleter les papiers de la famille
Middleton. Debbie faisait grand cas de l'acte
d'émancipation de Senior, un document datant
de 1704, paraphé par Arthur Middleton Esq. et
deux témoins ainsi que du titre de propriété de
Crocker Island datant de 1865 et signé du géné-

ral William Tecumseh Sherman lui-même. Encore plus précieux, l'acte de vente de Numah et Mamaduh, deux nègres de la côte de Guinée, cédés par un certain Samuel Gullah, marchand d'esclaves, à Isaac Middleton en 1812. Spéro aurait aimé coller l'oreille à la porte du bureau de Debbie pour entendre comment ils travestissaient une époque complexe et ambiguë en chapitre d'histoire édifiant.

Parfois aussi, Isaac accompagnait Debbie à l'église de Samarie où il chantait tous les psaumes, même s'il n'était pas de confession baptiste, aux réunions du comité Nelson Mandela et chez Agnès Jackson. Il interrogeait la vieille femme sur sa vie en Californie. Car, aux alentours de 1928, elle avait suivi son mari comédien à Los Angeles. Il aurait aimé l'entendre parler de la dure condition des artistes noirs de l'époque. Mais elle préférait lui raconter des histoires d'alcool, d'homosexualité et de vices qu'il entendait avec un peu de réprobation. Elle lui montrait des photos qu'elle n'avait jamais montrées à Debbie où, dans des bars de style arts déco, elle souriait belle et triste à mourir à côté des amants de son mari. L'un d'eux s'appelait Willy. Ils étaient partis au bras l'un de l'autre pour ne plus jamais revenir.

Spéro savait donc que Debbie et Isaac étaient inséparables. Pourtant, il ne voyait pas le mal dans tout cela, même si Debbie passait fort souvent des nuits en ville et lui laissait des mots d'excuse à côté de son couvert sur la table de la cuisine. La révélation aveuglante de ce qui se complotait en vérité derrière son dos, il la fit le soir de la réception d'adieu en l'honneur d'Isaac Chez

Marcus. Il était venu à cette réception contraint et forcé par un restant de politesse. Comme toujours, il s'ennuyait ferme. Pour une fois, les *grangrek* ne se repaissaient pas du souvenir des combats de Charleston. Un sujet excitait leur colère; le portrait que faisait Alice Walker des hommes noirs dans son dernier livre. Dans le tumulte, certains prétendaient garder la tête froide et débattaient doctement du décalage entre les images de ce roman que Spéro n'avait pas lu, car il ne lisait jamais de livres de femmes, sachant par avance ce qu'il allait y trouver, et celles du film qui en avait été tiré, qu'il n'avait pas vu non plus puisqu'il n'aimait que les bons vieux westerns. D'autres raseurs s'entretenaient interminablement de Jesse Jackson. Ils n'éprouvaient que méfiance pour sa coalition arc-en-ciel. Depuis que le monde est le monde, les individus à peau claire détestent les individus à peau noire. Alors pourquoi essayer de les lier les uns aux autres?

Spéro cherchait la sortie quand il était tombé sur Debbie et Isaac, debout dans un coin de la galerie, tellement enfermés à l'intérieur d'eux-mêmes qu'ils ne s'aperçurent pas de sa présence. Isaac était assez haut pour dominer la haute Debbie de toute sa tête, assez fort pour qu'elle s'appuie à hauteur de son épaule. Spéro, saisi, vit sur la figure de sa femme un chagrin qui lui rendait avec sa jeunesse l'infini de son charme. Il en reçut un tel coup qu'il manqua sauter sur Isaac pour lui donner une gorgette comme un mauvais nègre, les sens enfiévrés par des roquilles de rhum dans un bar de commune. Au lieu de cela, comme un lâche, il tourna les talons et rentra à l'intérieur de la maison.

C'est donc à cela que menait le souci de l'histoire des noirs artisans libres de la Caroline du Sud? Debbie et ce jeunot? Son cadet de dix bonnes années? Qui mouillait ses couches quand, orgueil des Middleton, elle raflait déjà tous les premiers prix à l'école secondaire? Duplicité des femmes! Sa mine n'avait rien trahi. Debbie ne devait se refuser qu'après sa liaison avec Tamara Barnes. Jusque-là, malgré ses tromperies, elle ne l'avait jamais encore repoussé. Quand il dominait sa mauvaise conscience et s'approchait d'elle, elle le recevait toujours avec le même abandon un peu apitoyé, comme si elle n'en revenait pas qu'il soit si peu conséquent. Lui-même s'étonnait d'avoir envers et contre tout besoin de son corps qu'il connaissait aussi bien que le sien même et qui, dans ses imperfections d'année en année plus visibles, l'avertissait de l'âge qui, en douceur et en traîtrise, montait sur lui aussi. Cloué en terre, dans cette grande salle bruyante et éclairée, typique de l'architecture des maisons des quartiers résidentiels noirs ou blancs de Charleston avec ses hauts plafonds et ses profondes fenêtres, il réalisait que quatre nuits plus tôt, il lui avait encore fait l'amour. Ainsi, elle se partageait entre deux hommes? Pourquoi? Il ne la satisfaisait pas? A part Jim Marshall, il ne l'avait jamais vue jeter les yeux sur personne. Qu'est-ce qu'elle trouvait à cet Isaac? Sa jeunesse? Sa beauté? Ses yeux sans boursouflures de chair et son ventre sans coussinet de graisse? Son sexe qui jamais ne baissait bas la tête et ne renonçait aux combats? Car, il

n'y avait pas d'autres raisons que celle-là! Bien
sûr, elle se défendrait et voudrait faire croire à
quelque amitié d'intellectuels, toute platonique.
Il en était sûr et certain, ce n'était là que menteries. Les intellectuels ne sont pas faits d'une
autre matière que le reste des humains. Ils
connaissent les mêmes passions. Comme toutes
celles qui entendent sonner la quarantaine, elle
avait soudain eu grand goût de chair fraîche.

Dans la 4 x 4 qui les ramenait au ferry, Spéro
épiait cette figure familière qui parvenait tellement bien à lui cacher sa traîtrise. Une fois à
Crocker Island, comme il demandait à passer la
nuit avec elle, elle invoqua avec un grand naturel
la fatigue, l'heure tardive; en un mot, elle lui
inventa un de ces boniments que les femmes ser-
vent aux hommes qu'elles bafouent depuis que
le bon Dieu leur a donné l'existence.

Il passa la nuit dans le tourment, se représentant des images qui lui mettaient tout le corps
en feu et se posant une même question qui aug-
mentait encore sa colère. Qu'aurait fait son père,
Justin, si Marisia s'était pareillement dérespec-
tée? C'est qu'il l'aurait tuée, tuée de ses deux
mains.

Le lendemain, il prit Linton en confidence.
Pourtant celui-ci, qui sans la connaître ne cessait
de critiquer Debbie comme il critiquait tous les
bourgeois noirs de Charleston, ne prononça que
des paroles lénifiantes. Il ne faut pas se fier aux
apparences. Qu'avait vu Spéro? Est-ce qu'il possédait des preuves de ce qu'il avançait?

Des preuves?

S'il avait eu besoin de plus de preuves que celles

fournies par sa tête et son cœur, les jours qui suivirent le retour d'Isaac en Californie lui en auraient apporté en abondance. Debbie, tellement soignée de sa personne depuis le bon matin et qui lui faisait honte de son laisser-aller, promena à travers la maison une mine bien relâchée. Une figure sans fard. Des cheveux peignés à la va-vite. Des mines d'enterrement. Des gestes d'automate. L'observant à la dérobée, il la trouvait pareille à ces masques en habits de sacs de jute, juchés sur des échasses, qui se promènent silencieux et rigides, dominant la liesse des foules de carnaval. Alors, Spéro fut plus fréquent dans son lit qu'il ne l'avait été depuis des temps et des temps. C'est qu'il voulait la surveiller de tout près. Surprendre les gémissements de regret et de remords qui se cachaient derrière les plaintes d'un plaisir sans surprise.

Un jour, il prit son courage à deux mains et osa aborder le sujet qui lui brûlait le cœur et lui ôtait le goût de vivre. Elle sembla d'abord hésiter à le comprendre. Quand enfin la nature de ses accusations devint aveuglante, elle le considéra avec un profond mépris – une fois de plus il révélait toute la médiocrité de son être. Et, sans même prendre la peine de se défendre, elle lui donna dos. Il resta tout bête et tout penaud avec sa charge de reproches inutiles.

Non, Debbie n'était pas sans péché. Elle n'avait aucun droit à lui jeter la première pierre.

Il la connaissait têtue, difficile, se cabrant pour un oui pour un non comme un canot sur la haute mer. S'il s'approchait et lui disait : « Écoute, recommençons la vie », elle se bornerait à secouer la tête.

Puis elle le regarderait dans le blanc des yeux et lui dirait d'un ton sans réplique : « Écoute, la vie, cela ne se recommence pas! »

Sans transition, l'air de la salle d'attente parut étouffant à Spéro comme s'il se trouvait à proximité du feu d'un incendie. Grommelant quelques mots d'excuse, il planta là le vieil employé qui n'avait pas arrêté de parler pour ne rien dire et sortit sur le quai mouillé, glissant par places, faiblement éclairé par les lampadaires. Avec un piétinement fiévreux, l'eau de la pluie rejoignait l'eau de la mer, noire du même noir que l'étendue du ciel, à l'exception des rouleaux d'écume dont on distinguait la blancheur tout contre l'horizon. Spéro aimait à croire que si on partait en barque, à force de driver et dériver, on finirait bien par atteindre son archipel.

Où était Debbie? Alors que soudainement il avait tant besoin d'elle?

C'est entendu, le jury l'avait décidé. Il n'y avait rien à dire pour sa défense : il avait été un mauvais mari et un mauvais père. Tout de même, elle n'aurait pas dû le rejeter, le barrer de son existence. Elle qui connaissait si bien les paroles du Seigneur, elle aurait dû le prendre toujours et toujours dans le pardon de son cœur et de son corps.

Car si la femme a perdu sa patience pour l'homme, que lui reste-t-il à devenir?

Pourtant l'ancêtre, lui, avait pu recommencer la vie. Au sortir des sables de Blida, c'est sans trop de mal qu'il avait trouvé le chemin de *Kutome* au terme d'un voyage de neuf jours et neuf nuits. Là, pendant des temps et des temps, il s'était ennuyé à mourir de nouveau. Certes, il avait rejoint les *daadaa* qui, à sa surprise, ne lui tenaient rigueur de rien de ce qui s'était passé sur la terre. Bientôt, son bien-aimé Ouanilo était arrivé auprès de lui ainsi que ses autres enfants et ses 414 femmes. Ses esclaves et ses concubines l'entouraient. Couchés autour de lui, ses *bokono* lui prédisaient des lendemains sans surprise. Chaque jour, le parfum des bêtes sacrifiées à son intention montait jusqu'à lui avec le ronron des litanies d'admiration. Il savait que sur la terre il était au cœur d'une polémique. Certains le considéraient comme un modèle, un martyr. Pour d'autres, il n'avait été qu'une bête sanguinaire, premier exemple d'un pouvoir qui ne se souciait pas des hommes du commun. Tout cela, lui était bien égal. Dans *Kutome*, il avait la paix.

Peu à peu pourtant, cette paix commença à l'ennuyer. Les tourments de sa vie de vivant lui manquèrent. Parfois à l'improviste, le souvenir de la grande douleur qu'il avait ressentie quand la canonnière *Topaze* avait bombardé la rive de l'Ouémé ou quand il avait vu de ses yeux le feu mordre voracement le bois de son palais saisissait son cœur et le faisait battre comme un tam-tam funéraire. Il se rappelait son étonnement la première fois qu'il avait vu un bateau fendre les écales du dos bleu de la mer; son chagrin quand il était arrivé à Fort-de-France, petit, si petit sous la bouche de son volcan; sa terreur quand il avait entendu gronder les entrailles secrètes de la Pelée. Il se rappelait aussi le bonheur que lui donnaient les femmes et à présent, esprit sans sentiments, il comprenait qu'il n'avait pas su savourer l'existence.

Il avait bien appris que si l'envie lui en prenait, il pouvait se faufiler dans le corps d'un nouveauné du clan qui hériterait alors de ses qualités et de ses défauts. Lui-même, n'était-il pas la réincarnation d'un ancêtre terrible et amoureux des combats qui avait porté la guerre contre tous ses voisins? Les *bokono* l'avaient déclaré dès le premier jour de sa naissance. Pourtant, dans le temps, cette fureur de vivre et revivre lui avait toujours paru incompréhensible. Quand il était sur la terre, il n'avait qu'une idée : la quitter. Ne plus se battre. Fermer les yeux. Allonger les os dans l'ombre du tombeau. Or brusquement, le désir de retourner là d'où il venait germa en lui et peu à peu le tortura. Voilà que, la nuit venue, il se mit à se rapprocher des concessions pour lorgner les ventres des femmes du clan sous leurs pagnes. Il les surprenait dans leur sommeil et les examinait. Ventres ronds comme des calebasses. Ventres en obus. Ventres hauts et pointus. Ventres affaissés et pesants. Ventres glorieux. Ventres mous. Il n'en pouvait plus de les voir tous. Parfois, il se coulait dans l'ombre de la matrone et s'approchait du ventre grand ouvert d'une femme en travail. Il priait et psalmodiait avec elle. Puis, dans une odeur pestilentielle, au milieu de flots de sang et de sanie, il amenait à la vie le nouveau-né apeuré, tremblant. Pendant que les *bokono* faisaient leurs divinations, avec un peu de dégoût, l'ancêtre inspectait ces figures bosselées et grosses comme le poing, fronts plissés, yeux bouffis, bouches crispées en cul-de-poule, songeant à tout le chemin qu'il aurait à refaire. Il allait renoncer à son idée et se résigner à finir son éternité dans *Kutome* quand, dans une concession d'Abomey, un soir que la lune était douce, il rencontra Abebi. Le temps d'aujourd'hui avait bien changé! Princesse de sang royal, Abebi avait épousé un soudard sans naissance qui, tellement fier de son rang, entrait au lit et lui faisait l'amour avec ses bottes et son uniforme. C'est tout juste s'il consentait à poser son ceinturon sur une petite table à la tête du lit pour ne pas labourer les flancs de son épouse. Comme le passé avait été éradiqué, et qu'il ne fallait plus chanter que le lieutenant-colonel, Abebi n'avait aucune fierté de ses ancêtres. Si elle s'enorgueillissait, c'était de la concession en dur que son soudard lui avait bâtie, des ventilateurs qui brassaient l'air dans toutes les pièces, de son or, de ses pagnes indigo et kola teints par la coopérative de teinturières de Savalou et de la voiture Mercedes Benz, fidèle à la porte comme un chien couchant. Pourtant les gens qui avaient des yeux pour voir et qui gardaient au creux de leur mémoire la connaissance du passé voyaient bien le sang royal dans la forme de sa tête qui se balançait fleur de chair, au bout de son long col annelé. Abebi avait mauvaise grossesse, car elle portait des jumeaux qui ne s'entendaient pas, chacun voulant avoir la prééminence sur l'autre. Si elle ne le savait pas, c'est qu'elle avait refusé de se rendre à l'hôpital, comme le prescrivaient les ordres du lieutenant-colonel, et qu'elle se fiait à la matrone qui, seize ans plus tôt, l'avait fait sortir du ventre de sa mère. Toute la journée, malgré ses ventilateurs, elle fondait de chaleur et haletait, trop lasse pour pousser son ventre devant elle, à moitié nue sur sa couche pendant qu'Adizua, une de ses *boyesses,* l'éventait avec un éventail de feuilles de palmier tressées. Ce n'est que le soir quand le vent consentait à agiter les feuilles des arbres qu'elle pouvait sortir de sa chambre et s'allonger sur une chaise pliante dans une des cours de la concession. Alors elle dénouait les cordons de son pagne et ses masseuses massaient son jeune corps pour un temps déformé avec du beurre de karité additionné de quelques gouttes de parfums d'Yves Saint-Laurent que son soudard lui rapportait de ses missions à l'étranger. C'est ainsi que l'ancêtre la vit. C'est ainsi qu'il s'enflamma pour elle. Elle lui rappelait le souvenir d'Hosannah, quand celle-ci lui était apparue dans sa chambre de la villa du quartier Bellevue portant un lourd *tray* de fruits. Hosannah, la mère de Djéré! Souvent l'ancêtre pensait à ce garçon de sa vieillesse et de son exil, tellement cher à son cœur, mais que les circonstances l'avaient forcé à abandonner derrière lui. Qu'était-il devenu, quant à lui? Avait-il connu bonne vie? Avait-il engendré bonne descendance? Scrutant l'immensité qui clapotait aux alentours de *Kutome,* il tournait la tête vers l'endroit où devaient se trouver les Antilles; mais il ne voyait rien. Que noirceur sur noirceur. Il n'entendait rien. Que silence sur silence.

Chaque nuit l'ancêtre prit l'habitude de s'asseoir aux pieds d'Abebi. Il la regardait s'alimenter avec des mines de chatte malade d'un peu de bouillie ou de salade de fruits soigneusement pelés et rafraîchis par les *boyesses.* Il la regardait somnoler. Il la regardait pleurer et se mordre les lèvres en silence, car son soudard n'était jamais auprès d'elle. C'est ainsi qu'un soir où la lune était à son premier quartier, faible et fragile dans la noirceur du ciel, il la vit se redresser hagarde et la figure en sueur : les douleurs avaient commencé.

Les *bokono* se mirent à leur poste. Les *boys* et les *boyesses* coururent de droite et de gauche. Comme le soudard n'était toujours pas là, la mère d'Abebi fit venir la matrone. Celle-ci eut à peine le temps de réciter quelques litanies et de préparer les feuilles de ses compresses qu'elle recevait entre les mains un enfant. Mort-né. Heureusement, ce n'était qu'une fille. Sans se décourager, posant le petit cadavre par terre, la matrone continua son office, massant, pétrissant le ventre labouré, ordonnant, encourageant de la voix. Bientôt un deuxième enfant fit son apparition. Un garçon, cette fois, chétif, si chétif, poussif, si poussif que ceux qui entouraient la couche d'Abebi se demandèrent s'il ne connaissait pas le même sort que sa sœur jusqu'au moment où, ouvrant grand sa bouche minuscule, il hurla pour réclamer sa part de vie. Vivant, il était vivant!

L'ancêtre eut tout juste le temps de se précipiter à l'intérieur de son corps et de s'y faire une place. Paré pour une nouvelle existence!

Le soudard se trouvait dans le lit de sa maîtresse quand on vint l'avertir qu'il était désormais père de fils. Il se releva en quatrième vitesse, boucla son ceinturon et se précipita chez lui. Une fois arrivé auprès d'Abebi, il embrassa avec reconnaissance sa figure lasse mais radieuse et prit son garçon dans ses mains. Pas de doute, ce serait un fameux gaillard! On en ferait un militaire, un vrai de vrai.

Comme cela se passait le 6 janvier 1980, il baptisa le nouveau-né Melchior.

Oui, il la connaissait assez pour savoir qu'elle lui dirait, le front rêche et péremptoire : « Toujours tes bêtises! La vie, cela ne se recommence pas! »

Têtue, difficile à manier! Par deux fois au moins, elle lui avait montré quelle dure qualité de personne elle était. La première fois se situait quand Anita était toute petite. Sa fille lui avait donné goût d'un autre enfant. Un autre enfant qui lui appartienne en propre, celui-là. Qui ne soit pas la seule propriété de sa mère. Un garçon cette fois qu'il baptiserait Rupert, prénom qu'étrangement il aimait, et qui, lui serrant le cou à l'étouffer, planterait de gros baisers craquants au creux de ses joues et dans tous les trous de sa figure comme il le faisait à Justin. Il ne lui farcirait pas la tête avec des histoires d'ancêtre royal. Il ne lui lirait pas les Cahiers de Djéré. Non! il lui apprendrait tout de suite à regarder le présent dans les yeux. Quand il en aurait l'âge, il l'emmènerait à La Pointe. Sous le soleil, sans s'occuper des gens toujours curieux qui sortaient sur le pas des portes pour s'interroger et les dévisager, ils monteraient le morne Verdol, main dans la main. Arrivés devant la maison basse, il lui dirait : « Regarde! C'est là que ta race a poussé! Voici le lit sur lequel ton père a été conçu par un malheureux qui se croyait Roi Mage. Si tu veux vivre heureux, ne fais pas comme lui. Oublie toutes ces bêtises-là. » C'est à La Pointe que son garçon prendrait sa première maîtresse. Il la choisirait lui-même : une négresse *bo kaye* qui saurait ce que donner du plaisir veut dire et qui ne demanderait pas aux hommes d'aller lui cueillir la lune. A son fils, il donnerait un solide métier. Pas de rêvasseries d'artiste. Peintre. Écrivain. Musicien. Il lui apprendrait à garder les deux pieds sur la terre, à ne pas essayer de changer le monde, car tous ceux qui s'y sont essayés se sont tués à la peine. En un mot, il lui apprendrait à vivre la vie du bon côté sans trop de sentiments, sans ambitions ni illusions qui rongent la tête et le cœur.

Mais Debbie l'avait toisé. Savait-il bien ce qu'il demandait? Un deuxième enfant, cela ne s'improvise pas! Était-il certain d'avoir gagné en sérieux, en fidélité, en maturité, en richesse matérielle et morale? Et puis, l'Amérique tellement cruelle aux mal-nantis était-elle bien l'endroit pour

élever plusieurs enfants? Donner à chacun des
chances et des armes égales? Toutes ces questions
n'avaient pas traversé la tête de Spéro. Chez lui,
on disait : *Tété pa jin two lou pou lestonmak!* * et
un enfant apportait toujours la joie avec lui.
Penaud, réalisant son inconscience, il avait dû se
guérir de son envie de paternité. La deuxième
fois, c'était lors de sa liaison avec Tamara Barnes.
Quand elle lui avait signifié qu'elle le bannissait
à cause de cela, il ne s'était pas occupé, prenant
ces menaces pour celles dont la colère remplit la
bouche des femmes. Quelques mois plus tard,
quand il avait fini par prendre congé de Tamara,
incrédule, il s'était aperçu qu'elle n'avait pas prononcé de paroles de colère pleines de vent et de
bruit, des paroles sans poids ni signification, mais
des paroles lourdes, pesant leur poids de décision
et de résolution.

Révolté, son châtiment lui avait paru sans pro-
portion avec son crime. Pourquoi lui avait-elle
pardonné Jeanne, Arthé, Ruby et tant d'autres?
Toute blanche qu'elle était, Tamara n'était qu'une
femme parmi les femmes. Une de celles qui
avaient le moins compté dans sa vie, même s'il
avait pris tellement de bon temps avec elle. Le
bannir pour cela? Sans orgueil, il avait prié et
supplié Debbie comme il ne l'avait jamais fait,
même du temps de leur jeunesse, puisque alors
elle était tombée tellement facilement entre ses
bras. Il se rappelait toutes ces nuits passées avec
elle, toutes ces nuits qui, si elles étaient mises au
bout l'une de l'autre, plongeraient la terre dans

* Les seins ne sont jamais trop lourds pour l'estomac. (Proverbe.)

la noirceur pour des années et des années. Ce qui le torturait le plus, ce n'était pas le souvenir du plaisir et de la jouissance de ces nuits-là, mais précisément des moments où ils s'étaient contentés de bavarder, de fainéanter, de dormir l'un à côté de l'autre, comme si c'étaient ceux de leur intimité la plus profonde qu'elle condamnait à mort une fois même. A ses paroles, à son remords, à ses promesses, elle opposait une argumentation rigide. Toujours la même. En prenant une maîtresse blanche, il avait révélé le plus profond de son être et il l'avait humiliée d'une manière qu'elle ne pouvait pas tolérer.

Il finit par accepter l'inacceptable.

Le matin dans la cuisine, au moment du petit déjeuner, tandis que Debbie allait et venait, se préparant aux mille activités de sa journée et le persuadant subtilement de son inutilité, il épiait les traces d'un sommeil qu'il n'avait pas partagé et qu'il ne supportait pas plus qu'un adultère. C'est à ce moment-là qu'il peignit le plus grand tableau de son atelier, une toile gigantesque qui faisait face à la porte d'entrée. C'était une parodie de ces naïfs haïtiens qu'il avait copiés dans le temps et auxquels, sans Major Dennis, un Centre d'art était consacré. Son Erzulie Dantor à lui, prétendue déesse de l'Amour, était en réalité une redoutable mégère que rien ni personne ne pouvait apprivoiser. Elle tenait dans ses mains multiples un couteau pour castrer les mâles, un fouet pour les fouetter et un Livre grand ouvert pour leur apprendre à respecter ses Commandements. L'œuvre était frappante. Les rares personnes qui s'intéressaient à sa peinture affirmaient qu'il

s'agissait là de sa meilleure composition. Régulièrement, des touristes séduits par son étrangeté
lui en offraient un bon prix – une fois même un
collectionneur sorti du Canada. Mais il refusait
de s'en séparer. Cette toile singulière marquait
le moment où sa vie en Amérique avait perdu
son peu de signification, où plus rien ne l'avait
amarré à Crocker Island. A la réflexion, Spéro
s'apercevait bien que cette époque-là avait marqué
le commencement de sa fin. Le départ d'Anita
pour le Bénin n'avait fait que la précipiter. La
liaison avec Paule n'était qu'un pathétique effort
pour la cacher. D'ailleurs son corps ne s'y trompait pas qui bien souvent refusait de faire semblant. Bien des fois, au lieu de rejoindre Paule
dans le lit et de lui faire l'amour, il se mettait à
lui parler de Justin, de Marisia, d'Anita, de lui-
même. Seule la pudeur l'empêchait de lui parler
de Debbie et de tout ce qui s'était mis en travers
de leur bonheur. Paule l'écoutait avec assez de
patience, la figure grave, adossée contre ses oreillers. Quand elle s'apercevait que ce soir-là encore
il ne se passerait rien, elle se rhabillait et se glissait
au-dehors après l'avoir baisé au front comme un
enfant que sa mère quitte pour la soirée.

De son côté, Linton perdait sa peine à lui pré-
senter de belles créatures à la bouche vorace,
comme il les aimait dans le temps. La semaine
passée, mû par une habitude de tant d'années, il
avait courtisé Farida, un beau brin de jeunesse,
venue oublier dans la bière les heures passées
devant une machine à calculer. Puis il l'avait
accompagnée jusqu'à son petit appartement de
Sargeant Street, décoré des mêmes éternelles

reproductions et des mêmes éternelles plantes en pot. Il l'avait laissée remplir deux verres, fumer, rire. Mais quand elle s'était approchée de lui et qu'il avait respiré son odeur de femme offerte, il n'avait pu faire ce qu'on attend d'un homme en pareille circonstance. Il n'avait pu que prendre la porte avant de remonter dans sa Volvo, lourde et sans entrain comme lui.

Ce n'était pas simplement qu'à son âge il soit déjà devenu un vieux-corps dont le sexe n'a pas de meilleur usage que celui d'un tout petit enfant. C'était, il l'avait compris, qu'il vivait dans une idée fixe, une seule espérance : que Debbie mette un terme à son exil et le reprenne contre lui. Pendant les heures de la journée à son atelier, au Montego Bay, tout le long du chemin qui le ramenait à Crocker Island, il s'imaginait qu'il la retrouverait comme au temps d'autrefois, secrètement méprisante, un peu distante, mais indulgente, en fin de compte indulgente. Hélas! de retour à la maison, une fois leur dîner terminé et l'infusion de marronnier d'Inde avalée, elle lui tendait sa joue et se retirait dans le territoire interdit de sa chambre. Depuis deux ans, elle n'avait pas faibli. Lui, Spéro, retrouvait son galetas, son lit vide, ses cauchemars, les crabes voraces qui montaient à l'assaut de son corps. Elle était comme cela, Debbie. Intraitable. Il se mourait à côté d'elle et elle ne s'en souciait même pas.

Spéro fit quelques pas sur la jetée, éclairée à mi-longueur par les ampoules pâlottes des lampadaires, mais dont l'extrémité semblait s'enfoncer dans les profondeurs du ventre de la nuit. Sous le fouet de la pluie, l'eau de la mer clapotait contre les pylônes de pierre et les grandes roues de caoutchouc qui amortissaient le choc des bateaux. Pendant l'hiver seul le ferry desservait Crocker Island. Mais pendant la saison d'été des bateaux de croisière allaient et venaient, charroyant leur bon compte de touristes d'une île à l'autre tout le long de la côte de la Caroline du Sud et de la Géorgie. Certains d'entre eux descendaient jusqu'en Floride et rejoignaient les transatlantiques en partance pour les Antilles. Spéro arriva au milieu de la jetée, à l'endroit où s'arrêtait la double rangée des lampadaires fichés en terre comme des pieux. Sa fille non plus ne se souciait pas de lui. Que faisait-elle loin, si loin dans ce village de Paogo? Avait-elle trouvé ce qu'elle était venue y chercher? A cause de cela, aurait-elle bonne vie à venir?

A cette heure, épuisé par sa propre violence, le soleil était parti se coucher derrière la mâture des baobabs. La voilure noire du ciel ondulait sous la brise enfin levée. Après sa journée de travail bien remplie, Anita devait se reposer sous l'enclos de tulle de sa moustiquaire tout incrustée de chiures de moustiques. Quel mystère que son enfant! Un homme dormait-il à côté d'elle, lui donnant du plaisir? Et si oui, avait-il trouvé la clé de son cœur intraitable, intraitable et secret comme celui de sa mère? Le bon Dieu était un très mauvais metteur en scène. Dans le théâtre de la vie, aux femmes il avait distribué la force, le courage, l'ambition. Aux hommes il n'avait donné que le besoin éperdu d'être entourés d'amour comme un fœtus dans le ventre de sa mère. L'équipage était mal assorti en vérité! Pas étonnant s'il ne tenait pas la route! Spéro imagina une lettre qu'il adresserait à sa fille pour lui expliquer ce qu'elle signifiait pour lui. Mais la lirait-elle seulement? Ne la rangerait-elle pas parmi toutes celles que Debbie lui écrivait semaine après semaine, sans se décourager de n'avoir jamais de réponse?

Il s'aperçut qu'il était arrivé au bout de la jetée et eut l'impression de se trouver devant une porte verrouillée qui donnait sur l'autre monde. Toute cette immensité à perte de vue l'oppressait.

Parfois, pour le récompenser d'une bonne note à l'école, Justin l'emmenait lever des nasses avec son ami Frédo qu'il rencontrait tous les jours du bon Dieu au Cerf-volant. Frédo était un ancien pêcheur, fils d'un maître seineur de l'anse Baille-Argent trop amoureux du rhum agricole et qui s'était fatigué de se tuer à la tâche, sans grand profit pour quelques poissons comme son père et ses frères. Mais on ne se déprend pas comme cela de la mer. A la moindre occasion, Frédo repartait se battre avec elle sur son saintois, le *Marie-Vertu,* et prenait Justin comme son « matelot ». Justin et Frédo calaient Spéro à l'arrière du canot saintois sur un tas de filets avec recommandation expresse de ne pas bouger, et puis ils filaient vers le grand large. Depuis plusieurs jours, les nasses dormaient dans le fin fond de la mer, attrapant dans leurs gueules ouvertes non seulement des vivanots, des vieilles, des capitaines ou des vives, mais encore toutes qualités de crustacés. Un jour, qu'on était parti lever les nasses dans les grands fonds de Carpot, on s'était arrêté pour réchauffer le canari de riz et pois à l'îlet Cailloux, un gros rocher qui

lève sa tête plate et frangée de sable blanc aux
environs d'Antigua. Le repas avait été bien arrosé.
Tandis que Justin dormait d'un profond sommeil
d'ivresse, Frédo, le laissant à la garde de son
garçon, était parti lever les nasses tout seul.
Recroquevillé sous l'ombrage d'un amandier pays,
Spéro, jamais tranquille quand il était en mer,
regardait de droite et de gauche. Le vent balayait
les nuages jusqu'à l'autre bout du ciel. Le soleil
perdait de sa force et rouge, tout rouge, plongeait
derrière l'horizon. Frédo ne revenait toujours
pas. Sans bruit, l'une après l'autre, les ombres
s'étaient glissées à leur poste et Spéro s'était mis
à entendre chaque battement affolé de son cœur.
Finalement Frédo était réapparu avec une tortue
qu'il avait pêchée à la drague et dont le sang
teignait les mailles des filets en écarlate. Tandis
que, chargé à couler, le saintois revenait vers
l'anse, d'un seul coup la noirceur avait tout envahi.
Elle avait effacé les limites du ciel et de la terre.
Elle avait effacé la couleur de la mer, noire comme
une robe de grand deuil, à l'exception des bri-
sants qui dans le lointain fouaillaient les cayes.
Terrifié, Spéro se rencognait à l'arrière du bateau.
Il s'attendait à ce que la tortue agonisant sous ses
pieds relève brusquement sa tête de vipère et
s'appuyant sur ses moignons vienne l'écraser sous
sa carapace. A ce que les chatrous sortent des
nasses en agitant leurs doigts visqueux pour le
ligoter. Pour la première fois, il pensait à la mort.
Que se passerait-il si le bateau chavirait dans l'eau
sans couleur et sans fond? Comment est-il, ce
monde d'où personne n'est jamais revenu pour
calmer la frayeur des vivants? Cherchant vaine-

ment une réponse, il tournait la tête vers Justin.
Mais celui-ci ne savait que téter une bouteille de
feneteau-les-grappes-blanches, tandis que Frédo,
tout en gouvernant le saintois, braillait des chansons paillardes. Au moment où sa terreur atteignait son paroxysme, brusquement les lumières
de Deshaies apparurent.

Tout seul sur cette jetée déserte, Spéro retrouvait la peur et l'angoisse de ses douze ans. La nuit
et sa couleur d'encre de Chine est l'image de la
mort. Que se passe-t-il dans cette noirceur d'où
jamais personne ne revient? Ce monde est-il plus
féroce et plus impitoyable que celui que nous
connaissons? Habité par des êtres plus indiffé-
rents ou cruels? Cela ne se peut pas! Peut-être au
contraire est-ce le lieu de la paix, de la fin de tous
les combats? Qu'est-ce que la mort? Un voile de
crêpe noir que l'on étend doucement, tout doucement sur les yeux et qui assourdit toutes les
souffrances.

Il s'assit à même la jetée, les pieds se balançant
dans le vide à quelques mètres au-dessus de l'eau,
la pluie détrempant son vieux survêtement, et
s'insinuant froide derrière son col, qu'il avait
machinalement relevé. Peut-être dans l'autre
monde rencontrerait-il les rares personnes qui
l'avaient aimé? Mais lesquelles? Marisia? Peut-
être cachait-elle ses sentiments pour lui? Car dans
le fond de son cœur, une mère ne peut pas ne
pas aimer le premier garçon sorti de son ventre.
Ou peut-être ne rencontrerait-il personne? Rien.
Vide. Néant.

Il se pencha en avant comme s'il cherchait à
distinguer ce que recouvrait cette grande cou-

verture molle, mouvante et sans éclat. Ou comme
s'il cherchait à distinguer les traits de sa figure
dévastée, ravagée avant l'heure. Mais la surface
ne reflétait aucune image.

La tentation était grande.

Et si tout doucement il se laissait descendre au
bout de ses bras? Si, d'une brasse tranquille, il
rejoignait les rêves couchés sur le flanc dans le
fond de l'eau parmi les débris des galions espagnols, coulés depuis des temps et des temps dans
des combats oubliés? Des forêts de crustacés
s'agrippaient sur leur coque; des poissons se
miraient dans les yeux creux de leurs hublots et
de rêches chevelures de varech s'enroulaient
autour de leurs mâts démontés.

Non! Pas pour lui! Il faut du courage pour
braver la mort et devancer son temps. Sa lâcheté
même le retenait sur la terre et un restant de
goût de vivre résistait à tout, tenace comme un
feu de boucan qu'on croit étouffé sous les feuilles
et les mauvaises herbes. Il marcherait tous les pas
qui lui restaient à marcher sur le chemin de son
existence. Et peut-être qu'un jour, à force d'espérance et de patience, il finirait à nouveau par
rencontrer Debbie.

Enveloppé de pluie, Spéro se releva et revint
vers l'abri des voyageurs. De l'autre côté de l'eau,
pointillant la noirceur de l'éclat de ses lumières,
le ferry avait commencé son voyage de retour
vers Crocker Island.

CET OUVRAGE
A ÉTÉ ACHEVÉ D'IMPRIMER
SUR ROTO-PAGE
PAR L'IMPRIMERIE FLOCH À MAYENNE
EN AOÛT 1993

N° d'impression : 34712.
Dépôt légal : septembre 1993.
Imprimé en France